La bibliothèque Gallimard

La poésie engagée

Anthologie

proposée et commentée par
Christine Chollet
professeur certifiée de lettres classiques
et
Bruno Doucey
professeur certifié de lettres modernes

La bibliothèque Gallimard

Florilège

« Oh Barbara
Quelle connerie la guerre » (Jacques Prévert)

« Je n'écrirai pas de poème d'acquiescement. » (René Char)

« L'effort du poète vise à transformer *vieux ennemis* en *loyaux adversaires*. » (René Char)

« Jamais jamais je ne pourrai dormir tranquille aussi
                                       [longtemps
que d'autres n'auront pas le sommeil et l'abri
ni jamais vivre de bon cœur tant qu'il faudra que d'autres
meurent qui ne savent pas pourquoi. » (Claude Roy)

« N'oubliez pas que cela fut,
Non, ne l'oubliez pas :
Gravez ces mots dans votre cœur. » (Primo Levi)

« Refusez d'obéir
Refusez de la faire
N'allez pas à la guerre
Refusez de partir. » (Boris Vian)

« Vos actions vous minent
Et vous déciment, mes frères !
Cessez d'alimenter la mort ! » (Andrée Chedid)

Ouvertures

Si le lecteur que vous êtes pouvait prendre la parole au seuil de cette anthologie, deux questions de bon sens seraient probablement posées : *Qu'est-ce qu'une anthologie ?* et *Que nomme-t-on la poésie engagée ?*

Ces questions simples et pertinentes nous conduisent au cœur du sujet.

Qu'est-ce qu'une anthologie ?

Ce terme est issu des mots grecs *anthos* et *legein* qui signifient respectivement la « fleur » et « cueillir ». Étymologiquement, une anthologie est donc un choix ou une collection de fleurs.

Au sens figuré, ce terme désigne un recueil de textes sélectionnés pour leur qualité littéraire. Il existe ainsi des anthologies des plus belles lettres d'amour, des plus beaux poèmes de la poésie russe ou de la poésie japonaise, des meilleurs extraits de la littérature française du XIXe siècle. Chacun de ces livres constitue, à sa manière, un *florilège* de morceaux choisis.

L'ouvrage que vous vous apprêtez à lire obéit à cette règle de composition puisqu'il comporte une multitude de textes poétiques d'auteurs différents. Tous ces textes ne jouissent cependant pas de la même notoriété.

À l'image des poèmes de Victor Hugo, d'Arthur Rimbaud, de Jacques Prévert ou de Boris Vian, certains d'entre eux, très connus des lecteurs français, font pleinement partie de notre patrimoine culturel. « Souvenir de la nuit du 4 » (p. 17), « Le Dormeur du val » (p. 26), « Barbara » (p. 155) ou « Le Déserteur » (p. 159) constituent, par exemple, ce que l'on pourrait nommer des textes-phares de la littérature française. Leur présence dans les pages qui suivent paraît donc aller de soi.

L'une des vocations de cet ouvrage, comme de toute anthologie, est aussi de faire découvrir au lecteur des textes ignorés, oubliés, injustement laissés pour compte. Les uns nous sont méconnus parce qu'ils sont l'œuvre d'auteurs étrangers : selon nos connaissances et nos inclinations, ce peut être le cas des poèmes de Marina Tsvetaïeva ou d'Ossip Mandelstam, de Nâzim Hikmet ou de Véronique Tadjo, de Primo Levi ou de David Diop. D'autres textes nous sont inconnus parce que leurs auteurs ont progressivement sombré dans l'oubli : il en va ainsi du poème d'Eugène Pottier intitulé « Jean Misère » (p. 20), chant révolutionnaire rédigé dans les années qui suivirent la Commune de Paris.

Quel que soit leur degré de notoriété, les textes qui composent cette anthologie obéissent aussi à un autre critère : tous ont été choisis par goût personnel, pour l'émotion qu'ils véhiculent, les idées qu'ils expriment, l'humanité qui est la leur.

Au plaisir de découvrir ou de redécouvrir des textes que nous aimons, s'ajoute le désir de transmettre ce plaisir au lecteur. Comme la chanson à laquelle elle se trouve indissolublement liée, la poésie ne doit pas être l'affaire d'une minorité cultivée : vouée à la liberté d'interprétation et de parole, elle est un espace ouvert et offert à tous. Encore faut-il transmettre l'inexprimable bonheur que procurent les textes.

Que nomme-t-on *poésie engagée*?

Cette seconde question pose plus de difficultés que la précédente car il n'existe pas de définition précise, objective, définitive de la poésie engagée. D'un pays à l'autre, d'une époque à l'autre, d'un auteur à l'autre, les conceptions diffèrent, au point de faire apparaître, non pas **une** poésie engagée, mais de multiples engagements conçus sous la forme toujours renouvelée de l'écriture poétique.

D'une manière générale, on peut toutefois dire d'une œuvre qu'elle est engagée lorsqu'elle exprime des prises de position, lorsqu'elle est une arme mise au service d'une cause. S'engage le poète qui défend des valeurs, dénonce des injustices, affirme des convictions. En dépit de sa diversité, la poésie engagée se trouve placée sous le double signe du témoignage et de la dénonciation, de la résistance et du combat. Écrire est un acte qui suppose, selon l'expression de Jean-Paul Sartre, que l'on transforme sa «plume en épée» afin d'agir sur le cours des événements.

Cette conception de l'écriture implique que l'artiste – peintre, romancier, poète ou chanteur – vive en *situation dans son époque.* La nature de son engagement dépend alors étroitement des circonstances qui le poussent à faire entendre sa voix. Son intervention se manifeste généralement de deux manières.

Il est d'abord frappant de constater que la majeure partie des auteurs présents dans cette anthologie menèrent – ou mènent encore – des vies d'hommes engagés dans les combats de leur temps : Victor Hugo, député et pair de France, connut à la fois les responsabilités d'un homme politique et les affres de l'exil ; Guillaume Apollinaire et Blaise Cendrars traversèrent, non sans drame personnel, les vicissitudes de la Grande Guerre ; Primo

Levi, Robert Desnos ou André Verdet, résistants lors de la Seconde Guerre mondiale, vécurent l'épreuve de la déportation. Nos contemporains Aimé Césaire et Léopold Sédar Senghor, pleinement engagés dans la défense de l'identité noire, furent des responsables politiques de premier ordre : le premier en devenant député-maire de Fort-de-France à la Martinique ; le second en accédant à la présidence du Sénégal indépendant en 1960. Aucun de ces poètes n'ignora les difficultés de la vie réelle.

La force de leur engagement réside également dans l'art d'associer l'expression poétique aux combats du quotidien. Exilé en terre étrangère pour avoir dénoncé l'attitude impérialiste de Louis-Napoléon Bonaparte, Victor Hugo ne désarme pas : *Les Châtiments,* rédigés en pleine tourmente, sont l'arme par laquelle le poète poursuit le combat (voir p. 32). Devant la montée du fascisme et l'épreuve de la Seconde Guerre mondiale, Robert Desnos renonce partiellement à la fantaisie verbale qui caractérise ses premières œuvres poétiques pour concevoir des poèmes, aujourd'hui rassemblés dans un recueil au titre terriblement évocateur : *Ce cœur qui haïssait la guerre* (voir p. 120). La poésie d'Aimé Césaire, dont la France métropolitaine découvre aujourd'hui la richesse, est également une poésie militante : l'écrivain antillais y dénonce le sort réservé aux Noirs d'Amérique longtemps placés sous le joug de la domination blanche.

Pour succincts qu'ils paraissent, ces exemples démontrent que l'on ne peut aborder un poème engagé sans tenir compte de ses conditions d'énonciation*. Née des circonstances politiques, économiques ou sociales, la poésie engagée est, selon la formule de Jean-Paul Sartre, l'œuvre de ceux qui n'ont « pas envie de parler pour ne rien dire ».

* Les mots signalés par un astérisque sont définis dans le glossaire.

à vous...

1 – On dit parfois que la meilleure anthologie est celle que l'on compose soi-même. Concevez votre propre anthologie en sélectionnant un petit nombre de chansons de langue française dont vous appréciez les qualités littéraires et musicales.

2 – Parmi ces chansons, quelles sont celles qui vous paraissent engagées?

3 – À votre tour, faites-les découvrir à vos camarades.

« Pourquoi des poètes en temps de détresse? »

Cette question que formule l'une des « Grandes Élégies » du poète allemand Hölderlin (1770-1843) prend un sens particulier dans le contexte qui nous intéresse.

Un observateur attentif aux mouvements de l'Histoire moderne constaterait d'abord que le monde dans lequel nous vivons fut parcouru de conflits et de crises d'une ampleur considérable. Le xxe siècle, que les contemporains de Victor Hugo annonçaient comme un siècle heureux, fut à bien des égards un « temps de détresse ». La barbarie de la Première Guerre mondiale (1914-1918), les génocides de la Seconde (1939-1945), les conflits liés à la décolonisation, la menace nucléaire, l'émergence de problèmes à l'échelle planétaire, le sida, la drogue ou le désespoir d'une partie de la jeunesse ont contribué à faire du siècle qui vient de s'achever *un siècle de fer*. La fin du second

Histoire et poésie

	Histoire	Auteurs	Œuvres
1848	La seconde République.		Début de l'écriture des *Châtiments*.
1851	Coup d'État du 2 décembre. Début du second Empire.	V. Hugo en exil à Jersey (→ 1869).	
1870	Guerre franco-allemande.		A. Rimbaud, « Le Dormeur du val ».
1871	La Commune. La IIIe République. Perte de l'Alsace-Lorraine par la France.		A. Rimbaud, *Poésies*.
1912			B. Cendrars, « Pâques à New York ».
1913			G. Apollinaire, *Alcools*.
1914	Début de la 1re Guerre mondiale.		
1916	Bataille de Verdun.		B. Cendrars, « La Guerre au Luxembourg ».
1917	Bataille du Chemin des Dames. Révolution russe.		« La Chanson de Craonne ». M. Jacob, *Le Cornet à dés*.
1918	Victoire des Alliés et armistice.	Mort de G. Apollinaire.	Parution des *Calligrammes* de G. Apollinaire.
1920	Les « années folles ». Création du Parti communiste français.		A. Breton et P. Soupault, *Les Champs magnétiques*.
1924	Mort de Lénine. Trotski évincé par Staline.		A. Breton, *Manifeste du surréalisme*.
1933	Accession d'Hitler au pouvoir.		O. Mandelstam, « Distiques sur Staline ».
1936	En France, gouvernement du Front populaire. Guerre d'Espagne.	Assassinat de F. García Lorca.	R. Char, « Placard pour un chemin des écoliers ».
1937	Avril : massacre de Guernica.	Exposition internationale de Paris.	P. Picasso, *Guernica*.
1939	Fin de la Guerre d'Espagne. Début de la Seconde Guerre mondiale en septembre.	Mort d'A. Machado.	J. Wahl, « Trois poèmes d'Espagne ».
1940	La « drôle de guerre ». Juin : défaite française : la France est divisée en deux. 14 juin : entrée des Allemands dans Paris. Appel du 18 juin. Premières mesures anti-juives.	Suspension des activités des éditeurs parisiens. Interdiction de certains livres. Censure concernant les éditeurs. Revues en zone libre ou à l'étranger.	L.S. Senghor, « Hosties noires ».
1941	Invasion de la Russie par les troupes allemandes.	Arrestation de J. Cassou.	33 sonnets écrits par J. Cassou en prison.

1942	27 mars : premier convoi pour Auschwitz. 16 juillet : rafle du Vel' d'Hiv'. Organisation de la Résistance : création des Forces françaises libres.	Nombreux poèmes écrits et diffusés dans la clandestinité. R. Char passe au maquis et devient chef départemental de la S.A.P.	P. Eluard, *Poésie et Vérité*. Guillevic, *Terraqué*. L. Aragon, *Les Yeux d'Elsa*. Vercors, *Le Silence de la mer*.
1943	Refus du S.T.O. ; de nombreux jeunes entrent dans la Résistance. 21 février : exécution de 23 résistants du groupe Manouchian.		14 juillet : *L'Honneur des poètes*. Septembre : *Le Chant des partisans*, M. Druon, J. Kessel, A. Marly. R. Desnos, *État de veille*.
1944	6 juin : débarquement allié en Normandie. Massacre d'Oradour. 25 août : libération de Paris.	22 février : arrestation de R. Desnos. Mars : mort de M. Jacob à Drancy.	J. Cassou, *33 sonnets composés au secret*. P. Eluard, *Au rendez-vous allemand*. J. Tardieu, « Oradour ».
1945	Capitulation de l'Allemagne.	8 juin : mort de R. Desnos.	J. Cayrol, *Poèmes de la nuit et du brouillard*. R. Char, *Seuls demeurent*.
1946			R. Char, *Feuillets d'Hypnos*.
1947	Début de la IVe République.		P Levi, *Si c'est un homme*. A. Césaire, *Cahiers du retour au pays natal*. J Prévert, *Paroles*.
1949			B. Vian, « Le Déserteur ».
1954	Fin de la guerre d'Indochine.		L. Aragon, « Strophes pour se souvenir ».
1956			A. Resnais, *Nuit et Brouillard*.
1958	Début de la Ve République.	B. Pasternak renonce au Prix Nobel.	
1960	Indépendance du Sénégal.	L.S. Senghor président du Sénégal.	
1962	Indépendance de l'Algérie.		
1970	Mouvement en faveur du « Québec libre ».		F. Leclerc, « L'Alouette en colère ». G. Miron, *L'Homme rapaillé*.
1973	Coup d'État militaire au Chili.	Exécution du poète V. Jara par la junte militaire chilienne. Assassinat à Alger du poète J. Sénac.	
1975	Début de la guerre du Liban (→ 1980).		
1976			
1998		Assassinat en Algérie du chanteur berbère L. Matoub.	A. Chedid, *Cérémonial de la violence*.

millénaire fut loin, très loin, de l'âge d'or que n'a cessé de promettre, à grands renforts d'innovations technologiques et de modes éphémères, la société de consommation.

« Pourquoi des poètes en temps de détresse ? » La question d'Hölderlin nous invite aussi à prendre conscience de la place que tinrent intellectuels, artistes et poètes face aux convulsions de l'Histoire. Dans le passé, jamais siècle n'avait connu tant de lecteurs et de publications, tant de prises de parole et de consciences en éveil. L'engagement exemplaire de Victor Hugo au XIXe siècle, puis l'effroyable aventure collective que fut la Première Guerre mondiale, ont assurément contribué à la mutation des mentalités : le poète des temps modernes ne vit pas à distance de ses contemporains ; il ne prône pas, comme le firent les partisans du mouvement parnassien, la solitude hautaine de l'artiste et la quête de « l'Art pour l'art ».

Les œuvres de Louis Aragon, Paul Eluard, René Char, Guillevic ou Claude Roy (pour ne parler que des poètes français) décrivent moins le monde qu'elles ne cherchent à le transformer. Refusant le fatalisme historique qui servit longtemps d'alibi au silence et à la passivité, ces écrivains s'engagent pour éviter le renouvellement de l'horreur et la contagion de la détresse. Ainsi conçue, « la poésie n'est pas que belle, elle est rebelle », oserait-on dire avec le chanteur contemporain Julos Beaucarne. Par cette rébellion, poètes et penseurs refusent de soumettre le destin du monde aux lois ignobles de la guerre, de la haine et de la misère. Écrire – fût-ce une chanson, fût-ce un poème – est moins un acte de haute solitude que l'expression d'une solidarité qui ne connaît ni limites ni frontières. En ces temps de détresse, le poète est devenu frère des êtres qui souffrent pour avoir trop aimé la vie :

Jamais jamais je ne pourrai dormir tranquille aussi longtemps
Que d'autres n'auront pas le sommeil et l'abri [...]
Le poète n'est pas celui qui dit Je n'y suis pour personne
Le poète dit J'y suis pour tout le monde

Claude Roy, « Jamais je ne pourrai », *Poésies.*

Anthologie mode d'emploi

Vous avez sans doute compris qu'on ne lit pas une anthologie comme un roman, de la première à la dernière page. La conception même de ce type d'ouvrage nous autorise, au contraire, à aller et venir dans le texte, à privilégier telle ou telle partie, à laisser provisoirement certains poèmes de côté pour lire et relire ceux qui nous émeuvent le plus. Comme tout recueil de poèmes, cette *Anthologie de la poésie engagée* est et doit rester un espace de libre découverte. Aussi nous donne-t-elle, selon les propos du romancier Daniel Pennac, le droit de *sauter des pages,* de *relire* ou de *grappiller*[1]. Ce n'est pas dire pour autant qu'une lecture approfondie de l'ouvrage ne vous soit pas recommandée. Elle seule vous permettra de découvrir les richesses insoupçonnées que comportent des textes qui ne cessent de s'éclairer les uns les autres. Notices biographiques, notes de bas de page et « Arrêts sur lecture » vous fourniront également des explications indispensables à la compréhension des énoncés.

Enfin, pour faciliter le travail en classe, nous avons choisi de numéroter les poèmes ligne à ligne.

1. Daniel Pennac, *Comme un roman,* Éditions Gallimard, 1992.

Combats
de la seconde moitié
du XIXe siècle

Victor Hugo
(1802-1885)

Homme politique, écrivain et chef de file du mouvement romantique, Victor Hugo s'exprima dans tous les genres littéraires : théâtre, roman et poésie. Exilé sur l'île de Jersey pour avoir dénoncé le coup d'État du 2 décembre 1851, il est l'auteur des Châtiments, *violent réquisitoire contre la politique de Napoléon III.*

Nox

Donc cet homme s'est dit : – « Le maître des armées,
    L'empereur surhumain
Devant qui, gorge au vent, pieds nus, les renommées
    Volaient, clairons en main,

5 « Napoléon, quinze ans régna, dans les tempêtes,
    Du Sud à l'Aquilon[1].
Tous les rois l'adoraient, lui, marchant sur leurs têtes,
    Eux, baisant son talon ;

« Il prit, embrassant tout dans sa vaste espérance,
10   Madrid, Berlin, Moscou ;
Je ferai mieux : je vais enfoncer à la France
    Mes ongles dans le cou !

« La France libre et fière et chantant la concorde
    Marche à son but sacré :
15 Moi, je vais lui jeter par derrière une corde
    Et je l'étranglerai.

« Nous nous partagerons, mon oncle et moi, l'histoire ;
    Le plus intelligent,

---

1. Aquilon : vent du Nord. Victor Hugo joue ici sur la similitude entre ce terme et l'adjectif « aquilin », qui se dit d'un nez en forme de bec d'aigle, animal emblématique de Napoléon.

C'est moi, certe! il aura la fanfare de gloire,
20   J'aurai le sac d'argent.

« Je me sers de son nom, splendide et vain tapage,
      Tombé dans mon berceau.
Le nain grimpe au géant. Je lui laisse sa page,
      Mais j'en prends le verso. »

Jersey, novembre 1853.

Les Châtiments (v. 89 à 112), 1853.

Souvenir de la nuit du 4

[…]
– Est-ce que ce n'est pas une chose qui navre!
Cria-t-elle; monsieur, il n'avait pas huit ans!
Ses maîtres, il allait en classe, étaient contents.
Monsieur, quand il fallait que je fisse une lettre,
5 C'est lui qui l'écrivait. Est-ce qu'on va se mettre
À tuer les enfants maintenant? Ah! mon Dieu!
On est donc des brigands! Je vous demande un peu,
Il jouait ce matin, là, devant la fenêtre!
Dire qu'ils m'ont tué ce pauvre petit être!
10 Il passait dans la rue, ils ont tiré dessus.
Monsieur, il était bon et doux comme un Jésus.
Moi je suis vieille, il est tout simple que je parte;
Cela n'aurait rien fait à monsieur Bonaparte
De me tuer au lieu de tuer mon enfant! –
15 Elle s'interrompit, les sanglots l'étouffant,
Puis elle dit, et tous pleuraient près de l'aïeule:
– Que vais-je devenir à présent toute seule?
Expliquez-moi cela, vous autres, aujourd'hui.
Hélas! je n'avais plus de sa mère que lui.

20 Pourquoi l'a-t-on tué ? je veux qu'on me l'explique.
L'enfant n'a pas crié vive la République. –
Nous nous taisions, debout et graves, chapeau bas,
Tremblant devant ce deuil qu'on ne console pas.
[...]

Jersey, 2 décembre 1852.

Les Châtiments, Livre II, 3 (v. 26 à 48), 1853.

Chanson

Sa grandeur éblouit l'histoire.
    Quinze ans, il fut
Le dieu que traînait la victoire
    Sur un affût[1] ;
5 L'Europe sous sa loi guerrière
    Se débattit. –
Toi, son singe, marche derrière,
    Petit, petit.

Napoléon dans la bataille,
10   Grave et serein,
Guidait à travers la mitraille
    L'aigle d'airain[2].
Il entra sur le pont d'Arcole,
    Il en sortit. –
15 Voici de l'or, viens, pille et vole,
    Petit, petit.

Berlin, Vienne, étaient ses maîtresses ;
    Il les forçait,
Leste, et prenant les forteresses

1. Affût : pièce de métal qui supporte le canon.
2. Airain : alliage de cuivre et d'étain (terme littéraire pour désigner le bronze).

20   Par le corset ;
    Il triompha de cent bastilles
        Qu'il investit. –
    Voici pour toi, voici des filles,
        Petit, petit.

25 Il passait les monts et les plaines,
        Tenant en main
    La palme, la foudre et les rênes
        Du genre humain ;
    Il était ivre de sa gloire
30   Qui retentit. –
    Voici du sang, accours, viens boire,
        Petit, petit.

    Quand il tomba, lâchant le monde,
        L'immense mer
35 Ouvrit à sa chute profonde
        Le gouffre amer ;
    Il y plongea, sinistre archange,
        Et s'engloutit. –
    Toi, tu te noieras dans la fange[1],
40   Petit, petit.

                      Jersey, septembre 1853.

Les Châtiments, Livre VII, 6 (texte intégral), 1853.

Melancholia

[…]
Où vont tous ces enfants dont pas un seul ne rit ?
Ces doux êtres pensifs, que la fièvre maigrit ?

1. Fange : nom poétique servant à désigner la boue.

Ces filles de huit ans qu'on voit cheminer seules ?
Ils s'en vont travailler quinze heures sous des meules ;
5 Ils vont, de l'aube au soir, faire éternellement
Dans la même prison le même mouvement.
Accroupis sous les dents d'une machine sombre,
Monstre hideux qui mâche on ne sait quoi dans l'ombre,
Innocents dans un bagne, anges dans un enfer,
10 Ils travaillent. Tout est d'airain, tout est de fer.
Jamais on ne s'arrête et jamais on ne joue.
Aussi quelle pâleur ! la cendre est sur leur joue.
Il fait à peine jour, ils sont déjà bien las.
Ils ne comprennent rien à leur destin, hélas !
15 Ils semblent dire à Dieu : «Petits comme nous sommes,
Notre père, voyez ce que nous font les hommes ! »
[…]

Juillet 1838.

Les Contemplations, III, 2 (v. 113 à 128), 1856.

Eugène Pottier
(1816-1887)

Chansonnier, poète et homme politique français, auteur de
L'Internationale *qui deviendra l'hymne du monde ouvrier et du
mouvement socialiste. Il participe aux journées révolutionnaires de
1848, puis à la Commune de Paris, avant de sombrer dans l'oubli.*

Jean Misère

Décharné, de haillons vêtu,
Fou de fièvre, au coin d'une impasse
Jean Misère s'est abattu.
«Douleur, dit-il, n'es-tu pas lasse ? »

5   Ah! mais…
      Ça ne finira donc jamais?…

Pas un astre et pas un ami!
La place est déserte et perdue,
S'il faisait sec, j'aurais dormi.
10 Il pleut de la neige fondue.
    Ah! mais…
      Ça ne finira donc jamais?…

Est-ce la fin, mon vieux pavé?
Tu vois, ni gîte, ni pitance[1],
15 Ah! la poche au fiel a crevé;
Je voudrais vomir l'existence.
    Ah! mais…
      Ça ne finira donc jamais?…

Je fus bon ouvrier tailleur.
20 Vieux que suis-je? Une loque immonde.
C'est l'histoire du travailleur
Depuis que notre monde est monde.
    Ah! mais…
      Ça ne finira donc jamais?…

25 Maigre salaire et nul repos,
Il faut qu'on s'y fasse ou qu'on crève,
Bonnets carrés et chassepots
Ne se mettent jamais en grève.
    Ah! mais…
30   Ça ne finira donc jamais?…

Malheur! ils nous font la leçon,
Ils prêchent l'ordre et la famille;

---

1. Pitance (de *pitié*) : portion que l'on donne à une personne pour son repas.

21

Leur guerre a tué mon garçon,
Leur luxe a débauché ma fille !
35   Ah ! mais…
Ça ne finira donc jamais ?…

De ces détrousseurs inhumains,
L'Église bénit les sacoches ;
Et leur bon Dieu nous tient les mains
40   Pendant qu'on fouille dans nos poches.
Ah ! mais…
Ça ne finira donc jamais ?…

Un jour, le Ciel s'est éclairé,
Le soleil a lui dans mon bouge ;
45   J'ai pris l'arme d'un fédéré[1]
Et j'ai suivi le drapeau rouge.
Ah ! mais…
Ça ne finira donc jamais ?…

Mais, par mille, on nous coucha bas ;
50   C'était sinistre au clair de lune ;
Quand on m'a retiré du tas,
J'ai crié : Vive la Commune !
Ah ! mais…
Ça ne finira donc jamais ?…
[…]

Chants révolutionnaires (1887).

1. Fédéré : soldat au service de la Commune de Paris, en 1871.

Jean Richepin
(1849-1926)

Professeur, matelot, comédien, débardeur, poète, l'auteur de La Chanson des Gueux *fut une figure marquante de la bohème parisienne et du Quartier latin. Ce recueil aux accents provocateurs, publié en 1876, lui assura une certaine notoriété et lui valut un mois de prison.*

Les Oiseaux de passage

[…] Ô vie heureuse des bourgeois ! Qu'avril bourgeonne
Ou que décembre gèle, ils sont fiers et contents.
Ce pigeon est aimé trois jours par sa pigeonne ;
Ça lui suffit : il sait que l'amour n'a qu'un temps.

5 Ce dindon a toujours béni sa destinée.
Et quand vient le moment de mourir, il faut voir
Cette jeune oie en pleurs : « C'est là que je suis née ;
Je meurs près de ma mère et j'ai fait mon devoir. » […]

Elle a fait son devoir ! C'est-à-dire que oncque[1]
10 Elle n'eut de souhait impossible, elle n'eut
Aucun rêve de lune, aucun désir de jonque
L'emportant sans rameurs sur un fleuve inconnu.

Elle ne sentit pas lui courir sous la plume
De ces grands souffles fous qu'on a dans le sommeil,
15 Pour aller voir la nuit comment le ciel s'allume
Et mourir au matin sur le cœur du soleil.

Et tous sont ainsi faits ! Vivre la même vie
Toujours, pour ces gens-là cela n'est point hideux.
Ce canard n'a qu'un bec, et n'eut jamais envie
20 Ou de n'en plus avoir ou bien d'en avoir deux. […]

1. Oncque (ou oncques) : jamais.

N'avoir aucun besoin de baiser sur les lèvres,
Et, loin des songes vains, loin des soucis cuisants,
Posséder pour tout cœur un viscère sans fièvres,
Un coucou régulier et garanti dix ans !

25 Oh ! les gens bienheureux !…. Tout à coup, dans l'espace,
Si haut qu'il semble aller lentement, un grand vol
En forme de triangle arrive, plane et passe.
Où vont-ils ? Qui sont-ils ? Comme ils sont loin du sol !

Qu'est-ce que vous avez, bourgeois ? Soyez donc calmes.
30 Pourquoi les appeler, sot ? Ils n'entendront pas.
Et d'ailleurs, eux qui vont vers le pays des palmes,
Crois-tu que ton fumier ait pour eux des appas ?

Regardez-les passer ! Eux, ce sont les sauvages.
Ils vont où leur désir le veut, par-dessus monts,
35 Et bois, et mers, et vents, et loin des esclavages.
L'air qu'ils boivent ferait éclater vos poumons.

Regardez-les ! Avant d'atteindre sa chimère [1],
Plus d'un, l'aile rompue et du sang plein les yeux,
Mourra. Ces pauvres gens ont aussi femme et mère,
40 Et savent les aimer aussi bien que vous, mieux.

Pour choyer cette femme et nourrir cette mère,
Ils pouvaient devenir volailles comme vous.
Mais ils sont avant tout les fils de la chimère,
Des assoiffés d'azur, des poètes, des fous. […]

45 Là-bas, c'est le pays de l'étrange et du rêve,
C'est l'horizon perdu par-delà les sommets,
C'est le bleu paradis, c'est la lointaine grève
Où votre espoir banal n'abordera jamais.

1. Chimère : illusion, utopie.

Regardez-les, vieux coq, jeune oie édifiante !
50 Rien de vous ne pourra monter aussi haut qu'eux.
Et le peu qui viendra d'eux à vous, c'est leur fiente.
Les bourgeois sont troublés de voir passer les gueux.

La Chanson des gueux (1876).

Chanson des cloches de baptême

Philistins[1], épiciers,
Alors que vous caressiez
  Vos femmes,
  Vos femmes,

5 En songeant aux petits
Que vos grossiers appétits
  Engendrent,
  Engendrent,

Vous disiez : ils seront,
10 Menton rasé, ventre rond,
  Notaires,
  Notaires.

Mais pour bien vous punir,
Un jour vous voyez venir
15   Au monde
  Au monde,

Des enfants non voulus
Qui deviennent chevelus
  Poètes,
20   Poètes. […]

La Chanson des gueux (1876).

1. Philistin : (figuré) se disait, parmi les étudiants allemands, de toutes les personnes étrangères aux universités, et particulièrement des marchands.

Arthur Rimbaud
(1854-1891)

Poète d'une précocité exceptionnelle, Arthur Rimbaud conçut la totalité de son œuvre de quinze à dix-neuf ans, avant d'entreprendre des voyages qui le conduiront aux confins de l'Afrique, en Abyssinie. Ses premiers poèmes expriment la révolte que lui inspirent l'ordre social et le conformisme.

Le Dormeur du val

C'est un trou de verdure où chante une rivière
Accrochant follement aux herbes des haillons
D'argent ; où le soleil, de la montagne fière,
Luit : c'est un petit val qui mousse de rayons.

5 Un soldat jeune, bouche ouverte, tête nue,
Et la nuque baignant dans le frais cresson bleu,
Dort ; il est étendu dans l'herbe, sous la nue[1],
Pâle dans son lit vert où la lumière pleut.

Les pieds dans les glaïeuls, il dort. Souriant comme
10 Sourirait un enfant malade, il fait un somme :
Nature, berce-le chaudement : il a froid.

Les parfums ne font pas frissonner sa narine ;
Il dort dans le soleil, la main sur sa poitrine,
Tranquille. Il a deux trous rouges au côté droit.

Octobre 1870.

Poésies (1871).

1. Nue : ciel nuageux.

À la musique

Place de la gare, à Charleville.

Sur la place taillée en mesquines pelouses,
Square où tout est correct, les arbres et les fleurs,
Tous les bourgeois poussifs qu'étranglent les chaleurs
Portent, les jeudis soirs, leurs bêtises jalouses.

5 – L'orchestre militaire, au milieu du jardin,
Balance ses schakos[1] dans la *Valse des fifres*[2] :
– Autour, aux premiers rangs, parade le gandin[3] ;
Le notaire pend à ses breloques à chiffres :

Des rentiers à lorgnons soulignent tous les couacs :
10 Les gros bureaux bouffis traînent leurs grosses dames
Auprès desquelles vont, officieux cornacs[4],
Celles dont les volants ont des airs de réclames ;

Sur les bancs verts, des clubs d'épiciers retraités
Qui tisonnent le sable avec leur canne à pomme,
15 Fort sérieusement discutent les traités,
Puis prisent en argent, et reprennent : «En somme !... »

Épatant sur son banc les rondeurs de ses reins,
Un bourgeois à boutons clairs, bedaine flamande,
Savoure son onnaing[5] d'où le tabac par brins
20 Déborde – vous savez, c'est de la contrebande ; –

Le long des gazons verts ricanent les voyous ;
Et, rendus amoureux par le chant des trombones,

---

1. Schakos : coiffures militaires.
2. Fifre : petite flûte traversière.
3. Gandin : nom d'un personnage ridicule.
4. Cornac : conducteur d'éléphants ou de troupeaux.
5. Onnaing : nom d'un tabac qui désigne ici une pipe.

Très naïfs, et fumant des roses, les pioupious[1]
Caressent les bébés pour enjôler les bonnes…

25 — Moi, je suis, débraillé comme un étudiant
Sous les marronniers verts les alertes fillettes :
Elles le savent bien, et tournent en riant,
Vers moi, leurs yeux tout pleins de choses indiscrètes.

Je ne dis pas un mot : je regarde toujours
30 La chair de leurs cous blancs brodés de mèches folles :
Je suis, sous le corsage et les frêles atours,
Le dos divin après la courbe des épaules.

J'ai bientôt déniché la bottine, le bas…
— Je reconstruis les corps, brûlé de belles fièvres.
35 Elles me trouvent drôle et se parlent tout bas…
— Et je sens les baisers qui me viennent aux lèvres…

Poésies (1871).

Paul Verlaine
(1844-1896)

La vie de ce poète français, républicain dans l'âme, fut marquée par la rencontre d'Arthur Rimbaud avec lequel il mena une existence aventureuse. Emprisonné pour avoir blessé son ami en juillet 1873, il tente de retrouver la foi de son enfance, avant de sombrer dans l'alcool. Ses poèmes empreints de musicalité sont parmi les plus beaux de notre littérature.

Monsieur Prudhomme

Il est grave : il est maire et père de famille.
Son faux col engloutit son oreille. Ses yeux

---

1. Pioupious : terme affectueux désignant les soldats.

Dans un rêve sans fin flottent insoucieux,
Et le printemps en fleur sur ses pantoufles brille.

5 Que lui fait l'astre d'or, que lui fait la charmille
Où l'oiseau chante à l'ombre, et que lui font les cieux,
Et les prés verts et les gazons silencieux ?
Monsieur Prudhomme songe à marier sa fille

Avec monsieur Machin, un jeune homme cossu.
10 Il est juste-milieu, botaniste et pansu.
Quant aux faiseurs de vers, ces vauriens, ces maroufles,

Ces fainéants barbus, mal peignés, il les a
Plus en horreur que son éternel coryza[1],
Et le printemps en fleur brille sur ses pantoufles.

Poèmes saturniens (1866).

Gaspard Hauser chante :

Je suis venu, calme orphelin,
Riche de mes seuls yeux tranquilles,
Vers les hommes des grandes villes :
Ils ne m'ont pas trouvé malin.

5 À vingt ans un trouble nouveau,
Sous le nom d'amoureuses flammes,
M'a fait trouver belles les femmes :
Elles ne m'ont pas trouvé beau.

Bien que sans patrie et sans roi
10 Et très brave ne l'étant guère,
J'ai voulu mourir à la guerre :
La mort n'a pas voulu de moi.

1. Coryza : rhume de cerveau.

Suis-je né trop tôt ou trop tard ?
Qu'est-ce que je fais en ce monde ?
15 Ô vous tous, ma peine est profonde :
Priez pour le pauvre Gaspard !

Sagesse (1880).

Arrêt
sur lecture 1

Il peut paraître singulier d'ouvrir cette anthologie de la poésie engagée par des poèmes de la seconde moitié du XIXe siècle, alors que de grandes œuvres poétiques du passé, comme *Les Regrets* de Joachim du Bellay (1522-1560) ou *Les Tragiques* d'Agrippa d'Aubigné (1552-1630), font figure de textes engagés. Deux raisons majeures ont dicté ce choix.

La première raison est inhérente à l'évolution de notre société : les transformations politiques, technologiques, économiques et sociales qui se manifestent à la fin du XIXe siècle ont fait entrer notre civilisation dans ce que l'on nomme parfois *les temps modernes.* Les grands courants de pensée et la poésie du XXe siècle s'expliquent donc en partie par les mutations qui voient le jour à partir de 1850.

La seconde raison est liée à l'œuvre et à la personnalité de Victor Hugo, véritable père fondateur de l'engagement poétique moderne. Homme politique et écrivain, l'auteur des *Châtiments* fit de l'écriture poétique une arme capable d'influer sur le cours des événements. Avec lui, la poésie est entrée dans l'Histoire.

Les Châtiments, œuvre fondatrice de l'engagement

Dans le premier poème du recueil d'inspiration romantique intitulé *Les Rayons et les Ombres*, Victor Hugo définissait ce qu'il nomme la « fonction du poète » :

« Le poète en des jours impies
Vient préparer des jours meilleurs.
Il est l'homme des utopies,
Les pieds ici, les yeux ailleurs. [...]
En tout temps, pareil aux prophètes. »

Selon lui, le poète est un guide chargé d'une mission divine, un « rêveur sacré » capable de pressentir les déchirures de l'Histoire, un phare pour l'humanité. En 1840, à l'heure où paraît ce recueil, Victor Hugo ne sait pourtant pas encore qu'il connaîtra l'exil pour être devenu le porte-parole de l'opposition au second Empire.

De Napoléon le Grand à Napoléon le Petit

La pensée politique de Victor Hugo, dont la vie couvre l'essentiel du XIXe siècle, est indissociable des grands mouvements de l'Histoire. Au cours de sa jeunesse, l'écrivain fut à la fois marqué par les conceptions royalistes de sa mère et le mythe napoléonien que lui transmit son père, alors général d'Empire. Durant la première moitié du XIXe siècle, le chef de file du romantisme, devenu pair de France et député, est un homme essentiellement conservateur.

Les événements qui accompagnent la Révolution de 1848 et le destin de la seconde République (1848-1852) voient évoluer ses positions du conservatisme de droite au républicanisme de gauche. Victor Hugo s'oppose à Louis-Napoléon Bonaparte, le neveu de Napoléon Ier, qui détourne à son profit la seconde République lors du coup d'État du 2 décembre 1851. Contraint à l'exil sur l'île anglo-normande de Jersey pour s'être élevé contre le tyran, le poète compose *Châtiment* (devenus *Les Châtiments* en 1870), violent réquisitoire contre le régime de Napoléon III. En un demi-siècle, Victor Hugo est passé de l'admiration pour le grand Napoléon à la haine de celui qu'il baptisera, non sans mépris, « Napoléon le Petit ».

Le renouvellement de la satire

En rédigeant *Les Châtiments*, Victor Hugo renoue avec la satire*, genre littéraire ancien qui consiste à railler un être, une institution ou des idées afin de les réformer. À l'instar du poète latin Juvénal, pour lequel il n'a jamais caché son admiration, l'écrivain en exil démontre que « c'est l'indignation qui suscite le poème ». Sa colère s'exprime sur un ton pamphlétaire, ainsi qu'en témoigne « Nox », long poème servant d'ouverture au recueil (voir p. 16) : Napoléon III, nommément désigné dans le texte, y est présenté comme un nain mégalomane, monstrueux et grotesque. L'efficacité rhétorique* du poème repose sur l'art de faire entendre les pensées du tyran. Mû par la volonté d'égaler la figure légendaire de son oncle, poussé par l'orgueil de pouvoir à son tour inscrire son nom dans l'Histoire, Louis-Napoléon Bonaparte dévoile son intention d'étrangler la France « par derrière ». Par le seul jeu de l'écriture satirique, le lecteur devient le confident de ces criminelles intentions.

L'Histoire en marche

Les Châtiments ne sont toutefois pas réductibles aux attaques dont Napoléon III est la cible. Au-delà des personnes et des circonstances évoquées, Victor Hugo expose dans ce recueil sa conception de l'Histoire. Il formule son attachement à la République, manifeste la compassion que lui inspirent les victimes des grandes tragédies sociales, exprime sa foi en l'avenir de l'humanité. Par sa structure, le recueil témoigne de la confiance que le poète accorde à l'avenir et au progrès : *Les Châtiments* conduisent le lecteur de la nuit (« Nox ») au jour (le dernier poème du recueil s'intitule « Lux »), du Mal au Bien, du désastre de la répression à l'émergence heureuse d'une République universelle.

Durant les dix-huit années de son exil à Jersey, puis Guernesey, Victor Hugo ne cessera de se battre une plume à la main. Partisan convaincu de la République, de la liberté d'expression et des droits fondamentaux de la personne humaine, il fustige à distance le second Empire qui s'effondrera en 1870, après la défaite de la guerre menée contre la Prusse. Son engagement fut si fort qu'il refusa l'amnistie que lui accorda Napoléon III, en 1859 :

« Personne n'attendra de moi que j'accorde, en ce qui me concerne, un moment d'attention à la chose appelée amnistie. Dans la situation où est la France, protestation absolue, inflexible, éternelle, voilà pour moi le devoir.

Fidèle à l'engagement que j'ai pris vis-à-vis de ma conscience, je partagerai jusqu'au bout l'exil de la liberté. Quand la liberté rentrera, je rentrerai. »

Déclaration de Victor Hugo
rédigée à Guernesey, 18 août 1859.

Il n'est pas jusqu'aux poèmes des *Contemplations*, recueil profondément marqué par la mort de sa fille Léopoldine, qui n'expriment l'indignation que l'injustice ou la misère inspirent à Victor Hugo. L'émouvant poème intitulé « Melancholia » (p. 19) dénonce ainsi le sort fait aux enfants qui travaillent « quinze heures » par jour dès l'âge de huit ans. Ce long poème de plus de 300 vers brosse également le portrait d'une femme que la pauvreté pousse à la prostitution et d'un homme condamné au bagne pour avoir volé du pain. Ainsi naissent quelques-uns des personnages qui trouveront leur pleine dimension dans l'immense fresque romanesque que l'écrivain publie en 1862, *Les Misérables.*

à vous...

1 – Quels sont les textes qui font explicitement référence à Napoléon III ? Comment ce personnage historique nous est-il présenté ?

2 – Le poème intitulé « Souvenir de la nuit du 4 » relate un drame dont Victor Hugo fut le témoin puisqu'un jeune garçon, nommé Boursier, fut tué devant lui lors des émeutes qui suivirent le coup d'État de décembre 1851. Par quels procédés d'écriture le poète suggère-t-il le caractère pathétique* de la veillée mortuaire évoquée dans le texte ?

3 – « Ceux qui vivent, ce sont ceux qui luttent », écrit Victor Hugo dans l'un des poèmes des *Châtiments*. En prenant appui sur des exemples précis, dites comment vous comprenez cette expression.

Honoré Daumier (1808-1879) propose une caricature du comte Auguste-Hilarion de Kératry, député (terre crue, enluminée à l'huile, *Les Célébrités du Juste Milieu*, ou *Les Parlementaires*, 1832). Quelle est sa vision des politiciens de l'époque ?

Poètes et bourgeois dans la seconde moitié du XIXᵉ siècle

La seconde moitié du XIXᵉ siècle est marquée par de profonds bouleversements de la société : transformations de Paris et des structures économiques sous le second Empire (1852-1870), essor des techniques et des sciences au cours de la Révolution industrielle, solide enracinement de la République à partir de 1871. Ces bouleversements font des dernières décennies du XIXᵉ siècle une époque de progrès qui n'est pas sans conséquences sur les conditions de vie de la population française. À l'image d'Arthur Rimbaud et de Paul Verlaine, les poètes ridiculisent alors la bourgeoisie et s'émeuvent de la détresse sociale des plus pauvres.

« Ô vie heureuse des bourgeois... »

La noblesse, dont le déclin se poursuit depuis la fin de l'Ancien Régime, laisse place à une bourgeoisie parfois arrogante qui accorde une place prépondérante à l'argent, aux valeurs matérielles, au conformisme moral. Enrichie par le travail, l'épargne et les spéculations immobilières, cette catégorie sociale s'affirme au point de dominer, en bien des domaines, la société française du XIXe siècle. Il n'est pas de petite ville de province qui ne voie s'épanouir – comme Charleville où naît Arthur Rimbaud en 1854 – une bourgeoisie bien-pensante, composée de commerçants, de banquiers, de notaires, de « rentiers à lorgnons » préoccupés de leur seule réussite sociale. « À la musique » d'Arthur Rimbaud (p. 27), « Monsieur Prudhomme » de Paul Verlaine (p. 28) ou « Les Oiseaux de passage » de Jean Richepin (p. 23) témoignent avec une ironie mordante du conformisme étroit de ces bourgeois qui ne comprennent rien à la poésie, aux rêves d'évasion, à l'ivresse vagabonde.

L'adolescent rebelle que fut Arthur Rimbaud peut être considéré comme la figure emblématique de la révolte que manifestent les artistes à l'encontre de l'ordre établi. Réfractaire aux conventions sociales, hanté par le désir de « changer la vie », inspiré par « la muse de la liberté », le jeune homme traverse de façon fulgurante le monde littéraire de son époque, avant d'entreprendre un voyage qui le conduira, sans retour, aux confins de l'Abyssinie.

« Tu as bien fait de partir, Arthur Rimbaud ! » s'écriera près d'un siècle plus tard le poète français René Char. « Tu as bien fait de partir [...] Nous sommes quelques-uns à croire sans preuve le bonheur possible avec toi. »

« La misère... ça ne finira donc jamais ? »

La révolution industrielle qui connaît son plein essor à partir de 1870 favorise également l'émergence d'une autre classe sociale : le prolétariat, masse ouvrière qui ne cesse de croître dans les villes où s'installent des usines parfois gigantesques. Les poèmes de Victor Hugo et les romans d'Émile Zola décrivent les déplorables conditions de vie des ouvriers de l'époque : un travail éreintant, des journées de douze à quinze heures, l'absence de couverture sociale et de congés payés, les risques d'accidents, l'ignominieuse exploitation d'une main-d'œuvre enfantine. Il n'en fallait pas plus pour que se développent une véritable misère urbaine et de violents mouvements sociaux.

Vers 1870, les ouvriers se souviennent des trois journées révolutionnaires de 1830 (les Trois Glorieuses) et de la révolte des Canuts (ouvriers travaillant la soie) qui embrasa Lyon en 1831. Ils savent qu'ici ou là les prolétaires ébauchent des organisations syndicales qui parviendront un jour à défendre leurs droits. La Commune, mouvement insurrectionnel réprimé dans le sang à l'aube de la IIIe République en mai 1871, participe de cette libération sociale que prônent à la fois le peuple de Paris et les poètes qui se marginalisent. Après avoir exprimé la pitié que lui inspirent l'enfance démunie et les pauvres gens, Arthur Rimbaud s'enthousiasme pour l'immense fête populaire que fut d'abord la Commune ; Jean Richepin, enrôlé lors de la guerre contre la Prusse, mène une vie de bohème ; Eugène Pottier, auteur de *L'Internationale* et d'hymnes révolutionnaires, chante le désarroi que lui inspire la misère (voir p. 20) :

> J'ai pris l'arme d'un fédéré
> Et j'ai suivi le drapeau rouge.
> Ah ! mais...
> Ça ne finira donc jamais ?...

Mais, par mille, on nous coucha bas ;
C'était sinistre au clair de lune ;
Quand on m'a retiré du tas,
J'ai crié : Vive la Commune !
    Ah ! mais...
     Ça ne finira donc jamais ?...

« Il a deux trous rouges au côté droit »

La chanson d'Eugène Pottier exprime à la fois la volonté de lutter contre la misère et la douleur de voir à nouveau couler le sang. 1830, 1836, 1848, 1871... l'Histoire se répète en autant d'insurrections écrasées sur le pavé des rues. Suivant l'exemple donné par Victor Hugo, poètes et chansonniers s'en indignent, dénonçant les heures noires de la répression et les horreurs de la guerre. Peu de mois avant la Commune, en octobre 1870, Arthur Rimbaud traverse, lors d'une fugue qui le conduit à Bruxelles, une région dévastée par le conflit franco-prussien. Des poèmes comme « Le Mal », « Rages des Césars » ou « Le Dormeur du val » naîtront de cette vision de la folie humaine. En dépit de son apparente quiétude, le dernier de ces textes (voir p. 26) fait entrevoir le hideux visage de la mort dans une nature accueillante et maternelle. Les quatrains* en décrivent le cadre verdoyant, laissant entendre que le soldat dort, « pâle dans son lit vert ». Il faut attendre la fin du sonnet pour que soit exprimé le choc d'une rencontre inattendue avec la mort, le dernier vers rappelant l'ouverture du poème que Victor Hugo intitula, quelques années auparavant, « Souvenir de la nuit du 4 » :

« L'enfant avait reçu deux balles dans la tête. »

à vous...

4 – Observez attentivement la structure du poème intitulé « À la musique » (p. 27). Quelles sont les deux parties qui le composent ? Quels personnages permettent-elles d'opposer ?

5 – Le poème proposé page 29 fut inspiré à Verlaine par le douloureux destin de Gaspard Hauser, enfant abandonné peu après sa naissance. À quelle étape de la vie de Gaspard chaque strophe du poème correspond-elle ?

6 – Dans ses textes, Arthur Rimbaud a souvent exprimé son désir de « changer la vie ». Si vous aviez la possibilité de le faire, quelles transformations aimeriez-vous apporter à votre existence et au monde dans lequel vous vivez ?

Les caractéristiques de l'écriture

Ces textes ne sont pas seulement des témoignages d'une poignante authenticité. Par leur simplicité formelle, leur tonalité pamphlétaire et leurs rythmes musicaux, ils se veulent aussi parole offerte au plus grand nombre.

Une rhétorique classique

Les poèmes que comporte cette première partie de l'anthologie sont essentiellement de facture classique. Lorsqu'il écrit « Le Dormeur du val » à l'âge de seize ans, Arthur Rimbaud n'a, par exemple, pas encore renoncé à la versification traditionnelle dont le sonnet*, poème composé de deux quatrains* et de deux tercets, est la forme la plus caractéristique. Il faut attendre mai 1871 et l'expérience de la Commune pour que la révolte pousse l'adolescent à inventer d'autres modes d'expression. De cette révolution poétique personnelle naîtront les recueils intitulés *Une saison en enfer* (1873) et *Les Illuminations* (1873-1875). Ce renouvellement des formes poétiques, qui annonce l'œuvre d'Apollinaire et la poésie surréaliste du xxᵉ siècle, s'apparente à un adieu. Le poète quitte le monde connu pour une vie nouvelle d'une richesse qui lui paraît inouïe :

« *Départ*
Assez vu. La vision s'est rencontrée à tous les airs.
Assez eu. Rumeurs des villes le soir, et au soleil, et toujours.
Assez connu. Les arrêts de la vie. – Ô Rumeurs et Visions !
Départ dans l'affection et le bruit neufs ! »

L'art de la caricature

L'originalité stylistique de ces poèmes écrits entre 1850 et 1880 réside en grande partie dans leur tonalité pamphlétaire. La plupart d'entre eux s'apparentent, en effet, à des pamphlets*, écrits violemment satiriques dans lesquels un auteur attaque une personne, une institution ou un mouvement de pensée. Dans *Les Châtiments,* cette écriture pamphlétaire prend souvent la forme de l'invective* : Napoléon le Petit y est interpellé, raillé, conspué. Sa bassesse y est décrite en des termes qui tendent à la caricature : comme le dessinateur et sculpteur Honoré Daumier (1808-1879), Victor Hugo déforme les traits de son personnage pour en suggérer le grotesque. Sous la plume de Victor Hugo, Napoléon III ne manque pas simplement de grandeur : il est devenu un nain, pitoyable et risible.

Le même procédé est à l'œuvre dans « Monsieur Prudhomme » de Paul Verlaine (p. 28) et « À la musique » d'Arthur Rimbaud

(p. 27) qui exagèrent sciemment la place prise par les objets dont s'enorgueillit le bourgeois : les pantoufles et le faux col (p. 28), les breloques, la canne et la tabatière en argent (p. 27). En comparant « la vie heureuse des bourgeois » à la médiocre destinée des oiseaux de basse-cour, Jean Richepin s'adonne également avec jubilation à l'art de la caricature : le curieux bestiaire que propose « Les Oiseaux de passage » (p. 23) rappelle ainsi, à sa manière, les dessins par lesquels le caricaturiste Gérard Grandville (1803-1847) représentait les nantis de son époque.

Des chansons

Les poèmes que rassemble cette première partie de l'anthologie ont également partie liée à la chanson, forme populaire de l'écriture poétique. En ce domaine, deux types de textes méritent d'être distingués.

Les premiers ont réellement été écrits pour être mis en musique et chantés. C'est le cas de « Jean Misère », chant révolutionnaire d'Eugène Pottier (p. 20), des « Oiseaux de passage » et de la « Chanson des cloches de baptême » (p. 23 et 25) que Jean Richepin fit entendre dans le célèbre cabaret du *Chat Noir*, à Montmartre, dans les années de bohème qui suivront la Commune. Un siècle plus tard, ces textes de Jean Richepin seront interprétés par le chanteur français Georges Brassens.

Les seconds présentent la particularité de s'intituler « chanson » sans que leur auteur ait eu véritablement le souci de les faire mettre en musique. Il en va ainsi de « Gaspard Hauser chante » (p. 29), initialement désigné par Verlaine sous le titre « La Chanson de Gaspard Hauser », ou des douze chansons que comptent *Les Châtiments* de Victor Hugo. Celle que nous proposons (p. 18) oppose la grandeur de Napoléon Ier à l'odieuse bassesse de son neveu Napoléon III, en cinq strophes comportant couplets et refrain. Par sa structure, son rythme et sa musicalité, ce texte n'est pas sans rappeler les chants populaires du chansonnier Béranger (1780-1857) qu'admirait Victor Hugo. Comme lui, l'auteur des *Misérables* exprime sa volonté de se mettre à la portée de tous.

On l'aura compris : la poésie engagée est souvent une poésie accessible et populaire.

à vous...

7 – Dans cette première partie, recherchez un sonnet autre que «Le Dormeur du val» et décrivez-en brièvement la versification : nature des strophes, choix du mètre, système des rimes.

8 – Comparez les poèmes de Victor Hugo intitulés «Nox» et «Chanson» à l'œuvre de Daumier proposée page 36. Quels points communs percevez-vous entre texte et image ? À quel mode d'expression le poète et le dessinateur ont-ils recours ?

9 – Avec l'aide éventuelle d'un ami musicien, écrivez une chanson sur un sujet d'actualité qui vous indigne ou vous révolte.

Autour
de la Grande Guerre

Guillaume Apollinaire
(1880-1918)

Ce poète, ami des peintres cubistes, ouvre, avec le recueil Alcools, *en 1913, la voie de la poésie moderne. Son expérience vécue inspire les grands thèmes de son œuvre. Il meurt à la fin de la guerre de la grippe espagnole.*

La Nuit d'avril 1915

À L. de C.-C.

Le ciel est étoilé par les obus des Boches[1]
La forêt merveilleuse où je vis donne un bal
La mitrailleuse joue un air à triples-croches
Mais avez-vous le mot
5   Eh! oui le mot fatal
Aux créneaux Aux créneaux Laissez là les pioches

Comme un astre éperdu qui cherche ses saisons
Cœur obus éclaté tu sifflais ta romance
Et tes mille soleils ont vidé les caissons
10 Que les dieux de mes yeux remplissent en silence

Nous vous aimons ô vie et nous vous agaçons

Les obus miaulaient un amour à mourir
Un amour qui se meurt est plus doux que les autres
Ton souffle nage au fleuve où le sang va tarir
15 Les obus miaulaient
                    Entends chanter les nôtres
Pourpre amour salué par ceux qui vont périr

Le printemps tout mouillé la veilleuse l'attaque
Il pleut mon âme il pleut mais il pleut des yeux morts

---

1. Les Boches : mot dérivé d'Alboche, qui signifiait «allemand». Utilisé pendant la guerre pour désigner l'ennemi, il garda ensuite sa connotation péjorative.

20 Ulysse que de jours pour rentrer dans Ithaque[1]
Couche-toi sur la paille et songe un beau remords
Qui pur effet de l'art soit aphrodisiaque

Mais
    orgues
25   aux fétus de la paille où tu dors
L'hymne de l'avenir est paradisiaque

«Case d'armons», *Calligrammes* (1918).
«Poésie», Gallimard.

Il y a

Il y a un vaisseau qui a emporté ma bien-aimée
Il y a dans le ciel six saucisses et la nuit venant on dirait des
    asticots dont naîtraient les étoiles
Il y a un sous-marin ennemi qui en voulait à mon amour
Il y a mille petits sapins brisés par les éclats d'obus autour de
    moi
5 Il y a un fantassin qui passe aveuglé par les gaz asphyxiants
Il y a que nous avons tout haché dans les boyaux de Nietzsche
    de Goethe[2] et de Cologne[3]
Il y a que je languis après une lettre qui tarde
Il y a dans mon porte-cartes plusieurs photos de mon amour
Il y a les prisonniers qui passent la mine inquiète
10 Il y a une batterie dont les servants s'agitent autour des pièces
Il y a le vaguemestre[4] qui arrive au trot par le chemin de l'Arbre
    isolé

1. Ulysse et Ithaque : références au héros de *L'Odyssée* qui rentra dans sa patrie,
Ithaque, après vingt longues années.
2. Nietzsche et Goethe : écrivains allemands.
3. Cologne : ville d'Allemagne.
4. Vaguemestre : pendant la guerre, officier qui était chargé du service postal.

Il y a dit-on un espion qui rôde par ici invisible comme l'horizon dont il s'est indignement revêtu et avec quoi il se confond

Il y a dressé comme un lys le buste de mon amour

Il y a un capitaine qui attend avec anxiété les communications de la T. S. F[1] sur l'Atlantique

15 Il y a à minuit des soldats qui scient des planches pour les cercueils

Il y a des femmes qui demandent du maïs à grands cris devant un Christ sanglant à Mexico

Il y a le Gulf Stream[2] qui est si tiède et si bienfaisant

Il y a un cimetière plein de croix à 5 kilomètres

Il y a des croix partout de-ci de-là

20 Il y a des figues de Barbarie sur ces cactus en Algérie

Il y a les longues mains souples de mon amour

Il y a un encrier que j'avais fait dans une fusée de 15 centimètres et qu'on n'a pas laissé partir

Il y a ma selle exposée à la pluie

Il y a les fleuves qui ne remontent pas leurs cours

25 Il y a l'amour qui m'entraîne avec douceur

Il y avait un prisonnier boche qui portait sa mitrailleuse sur son dos

Il y a des hommes dans le monde qui n'ont jamais été à la guerre

Il y a des Hindous qui regardent avec étonnement les campagnes occidentales

Ils pensent avec mélancolie à ceux dont ils se demandent s'ils les reverront

30 Car on a poussé très loin durant cette guerre l'art de l'invisibilité

«Obus couleur de lune», *Calligrammes* (1918).
«Poésie», Gallimard.

1. T.S.F. (télégraphie sans fil) : ancien nom pour désigner la radio.
2. Gulf Stream : courant chaud de l'océan Atlantique.

La Colombe poignardée et le Jet d'eau

«Étendards», *Calligrammes* (1918).
«Poésie», Gallimard.

Loin du pigeonnier

La 1re édition à 25 exemplaires de Case d'Armons *a été polygra-
phiée sur papier quadrillé, à l'encre violette, au moyen de gélatine,
à la batterie de tir (45e batterie, 38e Régiment d'artillerie de campagne) devant l'ennemi, et le tirage a été achevé le 17 juin 1915.*

Et vous savez pourquoi

Pour
quoi la chère couleuvre se love de la mer jusqu'à l'espoir
a
tten
l'Est dri
dessant

Hexa
èdres
bar
belés
mais un secret
collines bleues
en sentinelle

Malourène 75 Canteraine

dans la   O gerbes
Forèt   des
où   305
nous chantons   en déroute

«Case d'armons», *Calligrammes* (1918).
«Poésie», Gallimard.

Blaise Cendrars
(1887-1961)

Grand « bourlingueur » et créateur d'un nouveau style poétique alliant peinture et poésie, il est l'auteur de La Prose du Transsibérien *et de la petite Jehanne de France. C'est avec* L'Or, *en 1925, qu'il débute une grande œuvre romanesque, inspirée par ses voyages.*

La Guerre au Luxembourg

Ces ENFANTINES
*sont dédiées à mes
camarades de la
Légion Étrangère*
Mieczyslaw KOHN, *Polonais,
tué à Frise ;*
Victor CHAPMAN, *Américain,
tué à Verdun ;*
Xavier de CARVALHO, *Portugais,
tué à la ferme de Navarin ;
Engagés volontaires*

MORTS
POUR LA FRANCE.

BLAISE CENDRARS

MCMXVI

« Une deux une deux
Et tout ira bien… »
Ils chantaient
Un blessé battait la mesure avec sa béquille
5 Sous le bandeau son œil
Le sourire du Luxembourg
Et les fumées des usines de munitions
Au-dessus des frondaisons d'or
Pâle automne fin d'été
10 On ne peut rien oublier

Il n'y a que les petits enfants qui jouent à la guerre
La Somme Verdun[1]
Mon grand frère est aux Dardanelles[2]
Comme c'est beau
15 Un fusil   MOI !
Cris voix flûtées
Cris   MOI !
Les mains se tendent
Je ressemble à papa
20 On a aussi des canons
Une fillette fait le cycliste   MOI !
Un dada caracole[3]
Dans le bassin les flottilles s'entre-croisent
Le méridien de Paris est dans le jet d'eau
25 On part à l'assaut du garde qui seul a un sabre authentique
Et on le tue à force de rire
Sur les palmiers encaissés le soleil pend
Médaille Militaire
On applaudit le dirigeable qui passe du côté de la Tour Eiffel
30 Puis on relève les morts
Tout le monde veut en être
Ou tout au moins blessé   ROUGE
Coupe coupe
Coupe le bras coupe la tête   BLANC
35 On donne tout
Croix-Rouge   BLEU
Les infirmières ont 6 ans
Leur cœur est plein d'émotion
On enlève les yeux aux poupées pour réparer les aveugles

1. La Somme Verdun : nom de deux grandes batailles particulièrement meurtrières de l'année 1916.
2. Les Dardanelles : détroit entre l'Europe et l'Asie, que les troupes franco-britanniques tentèrent de conquérir en 1915.
3. Caracole : du verbe caracoler, évoque les mouvements du cheval qui tourne en rond.

40 J'y vois ! j'y vois !
Ceux qui faisaient les Turcs sont maintenant brancardiers[1]
Et ceux qui faisaient les morts ressuscitent pour assister à la
   merveilleuse opération
À présent on consulte les journaux illustrés
Les photographies
45 Les photographies
On se souvient de ce que l'on a vu au cinéma
Ça devient plus sérieux
On crie et l'on cogne mieux que Guignol
Et au plus fort de la mêlée
50 Chaud chaudes
Tout le monde se sauve pour aller manger des gaufres
Elles sont prêtes.   R
Il est cinq heures.   Ê
Les grilles se ferment.   V
55 On rentre.   E
Il fait soir.   U
On attend le zeppelin[2] qui ne vient pas   R
Las   S
Les yeux aux fusées des étoiles
60 Tandis que les bonnes vous tirent par la main
Et que les mamans trébuchent sur les grandes automobiles
   d'ombre

Le lendemain ou un autre jour
Il y a une tranchée dans le tas de sable
II y a un petit bois dans le tas de sable
65 Des villes
Une maison

---

1. Brancardiers : ceux qui étaient chargés d'évacuer les blessés sur une civière (ou
  brancard).
2. Zeppelin : du nom de son constructeur, ballon dirigeable.

Tout le pays   La Mer
Et peut-être bien la mer
L'artillerie improvisée tourne autour des barbelés imaginaires
70 Un cerf-volant rapide comme un avion de chasse
   Les arbres se dégonflent et les feuilles tombent par-dessus bord
       et tournent en parachute
   Les 3 veines du drapeau se gonflent à chaque coup de l'obu-
       sier du vent
   Tu ne seras pas emportée petite arche de sable
   Enfants prodiges, plus que les ingénieurs
75 On joue en riant au tank aux gaz-asphyxiants au sous-marin-
       devant-new-york-qui-ne-peut-pas-passer
   Je suis Australien, tu es nègre, il se lave pour faire la-vie-des-
       soldats-anglais-en-belgique
   Casquette russe
   1 Légion d'honneur en chocolat vaut 3 boutons d'uniforme
   Voilà le général qui passe
80 Une petite fille dit :
   J'aime beaucoup ma nouvelle maman américaine
   Et un petit garçon : – Non pas Jules Verne mais achète-moi
       encore le beau communiqué du dimanche

À PARIS
Le jour de la Victoire quand les soldats reviendront…
85 Tout le monde voudra LES voir
   Le soleil ouvrira de bonne heure comme un marchand de nou-
       gat un jour de fête
   Il fera printemps au Bois de Boulogne ou du côté de Meudon
   Toutes les automobiles seront parfumées et les pauvres che-
       vaux mangeront des fleurs
   Aux fenêtres les petites orphelines de la guerre auront toutes
       une belle robe patriotique

90 Sur les marronniers des boulevards les photographes à cali-
    fourchon braqueront leur œil à déclic
On fera cercle autour de l'opérateur du cinéma qui mieux
    qu'un mangeur de serpents engloutira le cortège historique
Dans l'après-midi
Les blessés accrocheront leurs Médailles à l'Arc-de-Triomphe
    et rentreront à la maison sans boiter
Puis
95 Le soir
La place de l'Étoile montera au ciel
Le Dôme des Invalides chantera sur Paris comme une immense
    cloche d'or
Et les mille voix des journaux acclameront *la Marseillaise*
Femme de France

Paris, octobre 1916.

Du monde entier (1919). Éditions Denoël, 1947.

Max Jacob
(1876-1944)
*Ami de Picasso et d'Apollinaire, peintre et écrivain, il est l'auteur
d'une œuvre avant-gardiste qui fait de lui un des précurseurs du
surréalisme. Interné en raison de ses origines juives, il meurt pendant la Seconde Guerre mondiale au camp de Drancy.*

La Guerre

AVIS (de la première partie du *Cornet à dés*)
*Les poèmes qui font allusion à la guerre ont été écrits vers 1909
et peuvent être dits prophétiques. Ils n'ont pas l'accent que nos
douleurs et la décence exigent des poèmes de la guerre : ils
datent d'un époque qui ignorait la souffrance collective. J'ai
prévu les faits ; je n'en ai pas pressenti l'horreur.*

Les boulevards extérieurs, la nuit, sont pleins de neige ; les bandits sont des soldats ; on m'attaque avec des rires et des sabres, on me dépouille : je me sauve pour retomber dans un autre carré. Est-ce une cour de caserne, ou celle d'une auberge ?
5 que de sabres ! que de lanciers ! il neige ! on me pique avec une seringue : c'est un poison pour me tuer ; une tête de squelette voilée de crêpe me mord le doigt. De vagues réverbères jettent sur la neige la lumière de ma mort.

Le Cornet à dés (1917), « Poésie », Gallimard.

Paul Vaillant-Couturier
(1892-1937)
Grande figure politique du début du siècle, journaliste, écrivain, parolier de chansons. Il fut surtout connu par ses idées et son action en faveur de la paix.

La Chanson de Craonne[1]

Quand au bout d'huit jours, le repos terminé,
On va rejoindre les tranchées,
Notre place est si utile
Que sans nous on prend la pile[2].
5 Mais c'est bien fini, on en a assez,
Personne ne veut plus marcher.
Et le cœur bien gros comme dans un sanglot
On dit adieu aux civelots[3].
Même sans tambour, même sans trompette,
10 on s'en va là-haut en baissant la tête.

1. Craonne : plateau de l'Aisne, non loin du Chemin des Dames, lieu de combats en 1917.
2. Prendre la pile : mot d'argot militaire, signifiant subir une grosse défaite.
3. Civelots : mot inconnu, formé à l'aide du suffixe -ot, désignant probablement ceux qui restent « à l'arrière ».

Adieu la vie, adieu l'amour, adieu toutes les femmes.
C'est bien fini, c'est pour toujours de cette guerre infâme.
C'est à Craonne, sur le plateau, qu'on doit laisser sa peau :
Car nous sommes tous condamnés,
15 Nous sommes les sacrifiés.

Huit jours de tranchées, huit jours de souffrance,
Pourtant on a l'espérance
Que ce soir viendra la r'lève
Que nous attendons sans trêve.
20 Soudain dans la nuit et dans le silence
On voit quelqu'un qui s'avance :
C'est un officier de chasseurs à pied
Qui vient pour nous remplacer.
Doucement dans l'ombre sous la pluie qui tombe
25 Les petits chasseurs vont chercher leurs tombes. […]

1917.

Texte attribué à Paul Vaillant-Couturier.

Marcel Rivier
(1893-1914)

Marcel Rivier n'est pas un écrivain, mais un de ces soldats tués lors des premières semaines de la guerre. Le poème proposé ci-dessous figure dans une lettre qu'il adresse à sa famille en octobre 1914.

Soir tendre

Oh ! ce soir je suis tout frissonnant de tendresse
Je pense à vous, je me vois seul, je me sens loin,
Loin de tout ce dont mon cœur tendre a tant besoin
Hésitant entre l'espérance et la tristesse

5 Comme un oiseau meurtri mon cœur las que tout blesse
Désirerait un nid très sûr, un petit coin
Où dans la quiétude et la douceur des soins
La douleur se fondrait vaguement en faiblesse

Et des mots d'abandon, des mots mièvres et lents,
10 De ces mots que l'on sent monter du fond de l'âme
S'écoulent de ma bouche à petits coups dolents

Et je rêve de doigts légers, adroits et blancs
Qui sur mes yeux se poseraient frais et tremblants
Sinon des doigts de mère au moins des doigts de femme
15 Chassant la vision des souvenirs sanglants

Ton Marcel, octobre 1914.

Paroles de Poilus, Librio, 1998.

Arrêt
sur
lecture 2

Notre siècle, qu'Albert Camus nommera « le siècle de la peur », débute réellement avec la guerre qui embrase l'Europe en 1914, après la transition que constituèrent les années de « la Belle Époque » (1900-1914). Au début du XXᵉ siècle, l'Europe domine le monde : les grandes puissances sont à la tête d'un vaste empire colonial, provoquant des tensions internationales. La nouvelle ère industrielle entraîne des rivalités économiques. En France, le désir revanchard de reprendre l'Alsace et la Lorraine, perdues en 1871, la « course aux armements » à laquelle se livrent les États depuis 1905, ont rendu cette guerre inéluctable. Il suffit d'un assassinat, celui de l'archiduc d'Autriche François-Ferdinand, le 28 juin 1914 à Sarajevo, pour mettre le feu aux poudres.

Après quatre années de combats, rien ne sera plus comme avant : le choc provoqué par un conflit sans précédent dans l'histoire de l'Humanité bouleversera en profondeur le paysage international et les valeurs de notre société. Souffle alors un vent de modernité qui pèsera sur le destin du siècle.

La Première Guerre mondiale

Le témoignage des écrivains et des Poilus encore en vie nous permet de comprendre ce que fut le premier grand conflit mondial.

Une guerre des temps modernes

Celle que l'on nomma la « Grande Guerre » fut à la fois :

– une guerre d'un genre nouveau, la première de l'ère industrielle, avec ses obus dévastateurs et ses armes nouvelles : mitrailleuses, lance-flammes, grenades, gaz asphyxiants ;

– une guerre totale, frappant en grand nombre les civils, envahis, occupés, bombardés, hantés par la peur de perdre leurs proches ;

– une guerre mondiale, avec tous ces combattants venus d'ailleurs : Russes, Américains, Canadiens, tirailleurs sénégalais, « Hindous qui regardent avec étonnement les campagnes occidentales » (Guillaume Apollinaire, p. 48)

Un voyage au bout de la nuit

Dans le roman intitulé *À l'ouest rien de nouveau* (1928), l'écrivain allemand Erich Maria Remarque présente l'horreur vécue par les soldats dans les tranchées :

« Nous sommes devenus des animaux dangereux, nous ne combattons pas, nous nous défendons contre la destruction. **»**

Comment ne pas songer à ces jeunes gens partis la « fleur au fusil » au lendemain du 1er septembre 1914, dans un même élan de patriotisme, au cri de « Tous à Berlin », pour une guerre que l'on prévoyait courte ? Tel Alain-Fournier, l'auteur du *Grand Meaulnes*, bon nombre d'entre eux seront tués dès les premières semaines de combat. Les autres connaîtront la peur, la souffrance, les blessures ou l'amputation.

Ceux que l'on appellera affectueusement les « Poilus », parce qu'ils avaient renoncé à se raser, vont faire la terrible expérience d'une interminable *guerre de position.* Il faut imaginer le quotidien de ces hommes enterrés dans les tranchées : la boue, le froid, les poux, le typhus, les odeurs, la promiscuité, les rats… auxquels s'ajoutent la fatigue physique et morale, le « barda » qu'il faut porter pendant des kilomètres, le ventre creux. Car c'est la peur au ventre que les Poilus, souvent très jeunes, peu préparés au combat, vont vivre ces années effroyables. Leur seule alternative sera de tuer l'autre ou d'obtenir la glorieuse consolation de mourir au *champ d'honneur.* Parmi ceux qui ne mourront pas, combien reviendront amputés, mutilés, blessés dans leur corps et dans leur tête, témoins du spectacle permanent de la mort, de scènes d'une violence qui dépasse l'entendement humain !

Au milieu de la barbarie cependant, quelques sursauts d'humanité, de fraternité, aident à tenir le coup.

Des écrivains pour témoigner

Les témoignages de cette « boucherie » ne manquent pas ; les uns sont le fait d'anonymes, d'autres l'œuvre d'écrivains connus engagés dans le conflit.

Poètes sur le front

« La place d'un poète, écrit Blaise Cendrars, est parmi les hommes, ses frères, quand cela va mal et que tout croule, l'humanité, la civilisation et le reste. »

Les poètes ont, en effet, exprimé par leurs mots et leurs

images le spectacle de la guerre. Parmi eux, l'écrivain Paul Eluard, âgé de vingt ans, infirmier puis fantassin, qui rédigea ses premiers poèmes :

« Nous avons crié gaiement : « Nous allons à la guerre ! » aux gens qui le savaient bien.
Et nous la connaissions !
Oh ! le bruit terrible que mène la guerre parmi le monde et autour de nous ! Oh ! le bruit terrible de la guerre !
Cet obus qui fait la roue,
la mitrailleuse, comme une personne qui bégaie, et ce rat que tu assommes d'un coup de fusil ! »

Paul Eluard, « Notre mort », Le Rire d'un autre.

Face à la mort, les poètes ont exprimé les émotions les plus violentes, les pensées les plus intimes, la souffrance du quotidien. Ils se sont tous faits les interprètes de la condamnation sans appel de l'horreur et de l'absurdité de la guerre, de l'indifférence et du mépris dont ils étaient victimes.

C'est de cette condamnation que naîtra le surréalisme*.

Deux poètes majeurs : Guillaume Apollinaire et Blaise Cendrars

Ces deux grands poètes ont incontestablement marqué l'époque.

Ressemblances... – Guillaume Apollinaire et Blaise Cendrars, nés à la fin du XIXe siècle, eurent un destin hors du commun, fait de voyages et d'aventures. Tous deux assistèrent au développement prodigieux des sciences et des techniques, côtoyèrent peintres et écrivains, incarnèrent la « modernité » artistique de l'époque. Engagés dans le conflit, l'un et l'autre seront gravement blessés et démobilisés.

... et différences – Mais alors que Blaise Cendrars garde volontairement le silence, Guillaume Apollinaire écrit sans relâche dans les tranchées.

À la veille de la guerre, **Guillaume Apollinaire** rencontre une jeune fille, que ses textes surnomment affectueusement « Lou ». Du front, l'écrivain lui adresse des lettres-poèmes, aujourd'hui rassemblées dans les recueils intitulés *Calligrammes* (1918) et *Poèmes à Lou* (1947) :

《 Si je mourais là-bas sur le front de l'armée
Tu pleurerais un jour ô Lou ma bien-aimée […] **》**

Poème écrit le 30 janvier 1915, à Nîmes.

Comme l'indique le sous-titre du recueil, *Calligrammes* est constitué de « *Poèmes de la paix et de la guerre (1913-1916)* » dans lesquels s'entrecroisent en permanence deux thèmes : l'amour inspiré par Lou, Madeleine, puis Jacqueline qu'il épouse en 1918, et la guerre qui l'éloigne d'elles, donnant à ces textes une tonalité lyrique*. Lyrique aussi l'exaltation d'Apollinaire devant le « merveilleux » spectacle de l'embrasement du front. Mais ne nous y trompons pas : la tragédie y est bien présente, avec son quotidien, ses protagonistes (« l'espion », « les soldats », « les prisonniers »), ses images de souffrance et de mort. Humour noir et provocation caractérisent également certains des textes, dans lesquels le poète s'exprime par antiphrase * :

《 Ah Dieu ! que la guerre est jolie
avec ses chants ses longs loisirs **》**

« L'Adieu du cavalier »

L'écriture poétique favorise la libre association des idées, des mots et des images. Guillaume Apollinaire, qui fut l'ami des peintres d'avant-garde, compose ses poèmes à la manière d'une toile cubiste*.

Le 29 juillet 1914, **Blaise Cendrars**, qui n'avait pas encore la nationalité française, fait paraître dans la presse un appel invitant les étrangers à s'engager volontairement au côté des Français. Le 3 août, le poète s'enrôle avec conviction dans la Légion étrangère, sans pressentir le choc qu'il éprouvera devant l'horreur de la guerre. Le 28 septembre 1915, un drame brise son enthousiasme : un éclat d'obus lui emporte tout l'avant-bras, nécessitant une amputation.

Pendant sa convalescence, Blaise Cendrars écrit un unique poème, « La Guerre au Luxembourg » (p. 51), dans lequel il présente des enfants jouant à la guerre « comme papa », parodie* à la fois tendre et brutale du conflit qui se joue dans la réalité. Ce poème superpose les images fortes de la guerre, avec ses armes, ses batailles, ses combattants étrangers, ses blessés, ses morts, le quotidien d'enfants dans un parc, « les bonnes [qui] vous tirent par la main ». Y apparaissent aussi, images du Paris moderne, des ballons dirigeables et l'emblématique tour Eiffel.

Il faut attendre le deuxième conflit mondial (1939-1945) pour que Blaise Cendrars parvienne à exorciser ses souvenirs douloureux, en publiant successivement deux romans aux titres significatifs : *L'Homme foudroyé* (1945) et *La Main coupée* (1946).

Chansons et lettres de Poilus

Les **chansons** accompagnèrent les soldats dans les combats. On chante des textes connus ; on écrit aussi, dans les tranchées. La « Chanson de Craonne » (p. 56), attribuée à Paul Vaillant-Couturier, fut ainsi composée en 1917 lors des terribles combats du Chemin des Dames, dans l'Aisne. Constituée de mots simples et de termes empruntés à l'argot militaire, elle illustre parfaitement ce que fut la poésie populaire de l'époque. Y dominent la lassitude des soldats, le désarroi qu'inspire l'inutilité de la guerre, le risque des mutineries à venir. Cette chanson, par trop contestataire, fut interdite.

Les **lettres** que rédigèrent les Poilus pendant la guerre constituent un phénomène sans précédent. Chaque jour sont échangées des milliers de lettres, seul lien tangible entre le soldat et ses proches, entre le front et l'arrière, entre l'enfer et la vie. La censure s'exerce sur le courrier des soldats, donnant à leurs lettres une dimension plus émouvante qu'engagée.

Pour anonymes qu'ils soient, ces témoignages épistolaires ne sont pas tombés dans l'oubli puisque Radio France a récemment entrepris la collecte de milliers de lettres, qui ont fait l'objet de lectures et d'une large publication. Le poème intitulé « Soir tendre » (p. 57) est précisément extrait d'une de ces lettres. Si nous sommes loin des invectives de Hugo ou des pamphlets* de Richepin, l'évocation des « souvenirs sanglants » constitue à elle seule une condamnation sans appel de la guerre.

à vous...

1 – « La Guerre au Luxembourg » (p. 51).
– Distinguez les éléments du poème qui appartiennent aux trois thématiques que sont la guerre, les enfants et Paris.
– En quoi peut-on dire que ce texte comprend des éléments autobiographiques ?

2 – En un paragraphe argumenté, dites comment la parodie* permet d'exprimer des choses graves.

**3 – En quoi le poème de Max Jacob intitulé « La Guerre »
(p. 55) se distingue-t-il des précédents sur le plan formel ?**

Le renouveau des formes poétiques

Une saison en enfer et *Les Illuminations* d'Arthur Rimbaud (voir
p. 41) avaient donné le ton d'un certain renouvellement des
formes poétiques ; mais ce sont Guillaume Apollinaire et Blaise
Cendrars qui, au début du siècle, édifient les véritables fonde-
ments de la poésie moderne.

Comme dans toute révolution, il s'agit avant tout d'un refus :
« À la fin tu es las de ce monde ancien », annonce Guillaume
Apollinaire en 1912 dans « Zone », poème liminaire du recueil
Alcools. En 1917, lors d'une conférence intitulée « L'Esprit nou-
veau et les poètes », l'écrivain trace les lignes de cette poésie,
toute faite de liberté :

« L'Esprit nouveau est […] dans la surprise. C'est ce qu'il y a en
lui de plus vivant, de plus neuf. »

Les œuvres de Guillaume Apollinaire, Blaise Cendrars et Max
Jacob participent du prodigieux bouleversement esthétique de
l'époque. Chacun d'eux renouvelle les thèmes de la poésie traditionnelle, y introduisant le quotidien, les images de la modernité
en marche. Chantres de la libre créativité, ces poètes transfor-
ment également les formes poétiques. « La Guerre au Luxembourg » de Blaise Cendrars (p. 51), « La Nuit d'avril 1915 »
(p. 46) et « Il y a » (p. 47) de Guillaume Apollinaire, présentent à
cet égard les mêmes caractéristiques formelles.

Le **vers libre**, dont le précurseur fut le poète américain Walt Whitman (1819-1892), permet à la poésie de s'affranchir des règles de la versification classique ; la suppression de la rime, les vers de longueur irrégulière confèrent aux textes une nouvelle résonance, un rythme nouveau. La liberté consiste aussi à faire alterner vers libres et vers réguliers, rimes et absence de rimes, ainsi qu'en témoignent les deux poèmes de Guillaume Apollinaire (p. 46 et p. 47).

L'**absence de ponctuation** marque également ces textes, Apollinaire estimant que « le rythme […] et la coupe des vers sont la véritable ponctuation ». En supprimant points et virgules, qui imposaient rythme et signification aux poèmes classiques, l'auteur d'*Alcools* enrichit le sens de ses textes et autorise des lectures multiples. Le lecteur jouit d'une liberté d'interprétation qui peut parfois le dérouter. L'absence de ponctuation permet également de renforcer les associations de mots : « cœur obus éclaté », « pourpre amour » (Apollinaire), « la Somme Verdun » (Cendrars).

La **nouvelle mise en espace** des textes favorise la créativité de l'artiste. Celui-ci peut jouer sur la longueur des strophes, utiliser les ressources de la typographie. Ainsi le poème de Blaise Cendrars possède-t-il des caractères majuscules, des mots isolés, des lettres qui se lisent verticalement. Quoique de facture classique, « La Nuit d'avril 1915 » d'Apollinaire (p. 46) s'achève également par des vers librement disposés en escalier.

Les « calligrammes » (p. 49 et p. 50) constituent une illustration remarquable de cette nouvelle mise en espace de la page. Reprenant un procédé qui remonte à l'Antiquité, Apollinaire nomme ainsi des poèmes qui associent étroitement image et texte. Les mots, de tailles variées, sont disposés sur la page de façon à former un dessin. Pour le poète, il s'agit avant tout

Gino Severini (1883-1966), *Canons en action*, 1915. Les peintres ont fréquemment représenté les horreurs de la guerre, aidés par l'art de la fragmentation que leur fournissaient les techniques picturales d'avant-garde. Voyez aussi les œuvres du peintre cubiste français André Mare, de l'Allemand Otto Dix.

d'obtenir une « synthèse des arts, de la musique, de la peinture, de la littérature ». Avec les calligrammes, la poésie s'apparente aux arts graphiques.

à vous...

4 – Le calligramme intitulé « Loin du pigeonnier » (p. 50) est précédé d'une note du paratexte* indiquant les conditions de parution des poèmes écrits à la guerre. En quoi cette information vous paraît-elle intéressante à connaître ?

5 – « La Colombe poignardée et le Jet d'eau » (p. 49).
– Essayez de lire ce poème à haute voix : quelle difficulté rencontrez-vous ?
– Que symbolise habituellement la colombe ? Que « pleure » le jet d'eau ? Pourquoi ?
– Relevez les noms propres cités dans ce calligramme ; essayez, à l'aide d'une biographie du poète, d'identifier les personnes évoquées.

6 – À votre tour, créez un calligramme.

7 – Dans le tableau ci-contre, comment la guerre est-elle représentée ? En quoi peut-on dire que le tableau associe peinture et poésie ? À quel type de poèmes vous fait-il penser ?

Conflits de
l'entre-deux-guerres

Contre la Russie de Staline

Anna Akhmatova
(1889-1966)

Elle fut l'une des figures de proue de la poésie lyrique russe. Restée à Moscou après la révolution d'Octobre, elle eut beaucoup de mal à publier ses œuvres, qui continuèrent cependant à se lire «sous le manteau». Les quinze poèmes qui forment le Requiem, *écrits à partir d'une expérience vécue, sont dédiés aux victimes des purges staliniennes.*

Requiem[1]

C'était le temps où ne souriait
Que le mort heureux de goûter la paix.
Comme une breloque inutile, Leningrad[2]
Pendait aux murs de ses prisons,
5 Et le temps où, fous de douleur,
Marchaient déjà des régiments de condamnés,
Et les locomotives leur sifflaient
Le chant bref des adieux.
Les étoiles de la mort se figeaient au ciel,
10 La Russie innocente se tordait
Sous les bottes sanglantes,
Sous les pneus des noirs «paniers à salade».

Ils t'ont emmené à l'aube.
Je te suivais, comme on suit la levée du corps.
15 Dans la chambre obscure les enfants pleuraient.

---

1. Requiem : prière ou musique pour les morts.
2. Leningrad : ancienne ville de Saint-Pétersbourg, actuellement Petrograd, siège du pouvoir jusqu'en 1918. Baptisée ainsi en l'honneur de Lénine.

Devant les icônes[1] le cierge avait fondu.
Sur tes lèvres le froid d'une médaille.
Je n'oublierai pas la sueur de la mort sur ton front.
Moi, comme les femmes des strelits[2],
20 Je hurlerai sous les tours du Kremlin[3].

Moscou (Koutafia)[4], 1935.

Poèmes sans héros et autres œuvres, La Découverte, 1991.
Traduit du russe par Jeanne et Fernand Rude.

Vladimir Maïakovski
(1893-1930)

Le rôle que joua Vladimir Maïakovski comme porte-parole de la Révolution russe ne doit pas pour autant faire oublier qu'il fut un immense artiste. Poète d'avant-garde, dramaturge, dessinateur, scénariste, cet amoureux de la provocation se suicida dans les années les plus sombres de la Russie.

J'ai de terribles soucis

J'ai de terribles soucis.
Sans doute
        vais-je perdre le sommeil.
Vous comprenez
5   bientôt
en Russie soviétique
            arrive le printemps.

1. Icônes : images pieuses, dans la religion orthodoxe.
2. Strelits (ou strelitz) : ancien corps d'infanterie à Moscou.
3. Kremlin : à Moscou, forteresse qui fut le siège du pouvoir de l'ex-U.R.S.S., près de la place Rouge.
4. Koutafia : nom d'une des dix-neuf tours du Kremlin.

Aujourd'hui
  comme demain
10   et dans les siècles des siècles
la chambre vacille
    ivre de soleil.
Impossible de travailler.
     Une agitation caractérisée.
15 À vrai dire
     aucun motif à cet émoi.
Si l'on raisonne sérieusement
      c'est très simple
Le soleil va briller
20   puis passer.
Mais voilà essayez donc
     d'ôter le chat de la fenêtre.
Or si la rue intéresse si fort les animaux
    à moi elle est absolument indispensable.
25 Je suis sorti
     mais une certaine paresse,
une langueur
     immobilise mon corps.
Je n'ai pas la moindre idée
30 de ce que je pourrais bien faire.
La pluie
    m'arrose sans vergogne[1]
      le col et le nez.
Je m'écoute,
35   me secoue sans succès,
     c'est comme une humeur étrange.
Juridiquement
    va où tu veux.

---

1. Sans vergogne : sans scrupule.

En fait
40   impossible de bouger.
Ainsi
    on me tient pour un bon poète.
Je peux prouver
        disons
45   que le tord-boyaux est un grand mal
mais cela
    comment parler de cela ?
pas le moindre mot qui convienne !
Les fonctionnaires soviétiques
50   ont bien barbouillé la ville de mots d'ordre
saluez le printemps !
        des salves[1] en son honneur !
mais ils ne savent plus
        répondre aux gouttes
55 par une parole qui vaille.
On est là,
      on regarde l'air distrait
les concierges
      casser la glace.
60 On a les pieds dans l'eau,
         de vraies piscines.
Sur les côtés ça vous éclabousse,
        d'en haut ça coule.
Il faut prendre des mesures.
65 Je ne sais pas moi
      par exemple
        choisir un jour
          le plus bleu

---

1. Salves : coups de feu simultanés, pour rendre un hommage à quelqu'un ou célébrer un événement.

et que dans les rues
70   des miliciens[1] souriants
distribuent
    à tous
      ce jour-là
        des oranges.
75 Si c'est trop cher
     il y a moins coûteux,
        plus simple
par exemple
     que les vieillards
80   les travailleurs en congé,
        les enfants d'âge préscolaire
à midi
     chaque jour
       se rassemblent sur la Place Soviétique
85 et crient trois fois :
     Hourra !
       Hourra !
        Hourra !
Car enfin toutes les autres questions
90   sont plus ou moins éclaircies
celle du pain
     celle de la paix aussi.
Mais
    cette question cardinale[2]
95   du printemps
il faut
    coûte que coûte
    la régler sur-le-champ.

«La Question du Printemps», dans *Maïakovski par lui-même*,
Éditions du Seuil, 1961.
Traduit du russe par Claude Frioux.

1. Miliciens : soldats appartenant à une police auxiliaire, la milice.
2. Cardinale : fondamentale.

Ossip Mandelstam
(1891-1938)

Hostile à la révolution bolchevique, ce poète spécialiste d'ancien français fut l'un des nombreux écrivains russes victimes des purges staliniennes. Arrêté et condamné à la déportation, il mourut en Sibérie.

Distiques sur Staline[1]

Nous vivons sans sentir sous nos pieds de pays,
Et l'on ne parle plus que dans un chuchotis,

Si jamais l'on rencontre l'ombre d'un bavard
On parle du Kremlin et du fier montagnard[2].

5 Il a les doigts épais et gras comme des vers
Et des mots d'un quintal précis comme des fers.

Quand sa moustache rit, on dirait des cafards,
Ses grosses bottes sont pareilles à des phares.

Les chefs grouillent autour de lui – la nuque frêle.
10 Lui, parmi ces nabots[3], se joue de tant de zèle.

L'un siffle, un autre miaule, un autre encore geint –
Lui seul pointe l'index, lui seul tape du poing.

Il forge des chaînes, décret après décret…
Dans les yeux, dans le front, le ventre et le portrait.

15 De tout supplice sa lippe se régale.
Le Géorgien[4] a le torse martial.

Novembre 1933.

Tristia et autres poèmes, «Poésie», Gallimard, 1975 et 1982.
Traduit du russe par François Kerel.

1. Ce titre a été ajouté par le traducteur.
2. Fier montagnard : désigne Staline.
3. Nabot : désigne péjorativement quelqu'un de petite taille.
4. Géorgien : Staline est né en Géorgie, région du Caucase, sur la mer Noire.

Boris Pasternak
(1890-1960)

Il publia ses principaux recueils poétiques de 1914 à 1946. Le Docteur Jivago, écrit en 1957, lui assure une notoriété internationale. Il dut renoncer au Prix Nobel de littérature, en 1958, sous la pression des autorités russes.

Le Prix Nobel

Ils m'ont traqué et pris au piège,
Chez moi, ils m'ont fait prisonnier.
La meute hargneuse m'assiège.
Pourtant, je sais la liberté.

5 À droite, la forêt très noire ;
À gauche, un pin couché, un lac ;
Il ne me reste aucun espoir.
Tant pis ! Advienne que pourra !

Pourquoi me disent-ils immonde ?
10 Et est-ce donc si criminel
D'avoir chanté devant le monde
L'éclat de ma Russie si belle ?

Jusqu'au bout, je persiste à croire
Que les envieux et les larbins[1]
15 Devront admettre la victoire
À venir de l'esprit du bien.

Janvier 1959.

«L'Éclaircie», *Ma sœur la vie et autres poèmes*,
«Poésie», Gallimard, 1982.
Poème traduit du russe par Martine Loridon.

---

1. Larbins : terme familier et péjoratif désignant des hommes serviles, des valets.

Marina Tsvetaïeva
(1892-1941)

Figure importante de la poésie russe contemporaine, méconnue de son vivant, Marina Tsvetaïeva s'exila en 1922 à l'étranger, où elle poursuivit son œuvre poétique. Elle regagna la Russie en 1939, où son mari avait été fusillé et sa fille déportée. L'hostilité à laquelle elle fut confrontée la poussa au suicide en 1941.

Dis-tance : des verstes, des milliers...

à Boris Pasternak

Dis-tance : des verstes[1], des milliers...
On nous a dis-persés, dé-liés,
Pour qu'on se tienne bien : trans-plantés
Sur la terre à deux extrémités.

5 Dis-tance : des verstes, des espaces...
On nous a dessoudés, déplacés,
Disjoint les bras – deux crucifixions,
Ne sachant que c'était la fusion

De talents et de tendons noués...
10 Non désaccordés : déshonorés,
Désordonnés...
               Mur et trou de glaise.
Écartés on nous a, tels deux aigles –

Conjurés : des verstes, des espaces...
15 Non décomposés : dépaysés.
Aux gîtes perdus de la planète
Déposés – deux orphelins qu'on jette !

Quel mois de mars, non mais quelle date ? !
Nous a défaits, tel un jeu de cartes !

24 mars 1925.

Tentative de jalousie, «Poésie», Gallimard, 1999.
Poème traduit du russe par Ève Malleret.

1. Verstes : mesure itinéraire en Russie, qui équivaut à 1 067 m.

Autour de la guerre d'Espagne

René Char
(1907-1988)

*Poète né en Provence, il adhère dès 1929 au mouvement surréaliste.
En décembre 1940, dénoncé en tant que militant d'extrême gauche
par la police française de Vichy, il se réfugie à Céreste, village des
Basses-Alpes où il commence dès 1941 à nouer des rapports avec
des opposants et des résistants. Il adhère à l'Armée secrète (A.S.)
naissante en 1942 comme chef du secteur de l'A.S. Durance Sud
sous le nom de guerre d'Alexandre. En 1943, Char s'engage aux
F.F.C. avec le grade de capitaine et devient chef départemental de la
Section atterrissage parachutage. Durant toute sa période d'engagement, Char ne publie aucun texte. En 1945, la publication de
«Seuls demeurent» connaît un grand retentissement et lui vaut
l'amitié de Georges Braque et d'Albert Camus, qui publiera l'année
suivante les* Feuillets d'Hypnos, *carnet de guerre et de résistance.*

Par la bouche de l'engoulevent[1]

Enfants qui cribliez d'olives le soleil enfoncé dans le bois de la
mer, enfants, ô frondes de froment, de vous l'étranger se
détourne, se détourne de votre sang martyrisé, se détourne de
cette eau trop pure, enfants aux yeux de limon[2], enfants qui fai-
siez chanter le sel à votre oreille, comment se résoudre à ne plus
s'éblouir de votre amitié? Le ciel dont vous disiez le duvet, la
Femme dont vous trahissiez le désir, la foudre les a glacés.

  Châtiments! Châtiments!

«Seuls demeurent» (1945),
in *Fureur et mystère*, «Poésie», Gallimard.

---

1. Engoulevent : oiseau au pelage brun-roux (appelé ainsi parce qu'il vole le bec grand
   ouvert).
2. Limon : dépôt qui couvre les bords des fleuves.

Élie Ehrenbourg
(1891-1967)

Poète russe, grand voyageur, il critiqua dans ses œuvres le monde
contemporain. Il se fit le défenseur de l'âme russe.

Madrid

Madrid, tes offenses, ton sang,
Qui les a vus ne les oublie !
Pourquoi l'enfant a des béquilles ?
La poussière tournoie au vent…
5 Pourquoi brillent les réverbères ?
Qui va durer jusqu'au matin ?
Fièvre des murs et des paupières,
Les cris des sirènes, soudain !
Pourquoi ce berceau vide et triste ?
10 Pourquoi Carabancel existe ?
Embrasse, embrasse, ô mère tendre,
Ô toi, qui ne veux pas comprendre !
La porte ouverte mène au ciel
Et, si tu veux, crois son appel.
15 Mais un lambeau de linge éclaire,
Trempée de sang, la sombre terre.
Le froid des vitres dans la nuit…
À la tranchée la rue conduit.
Le tramway siffle qui s'en va,
20 « Adieu, adieu… n'oubliez pas ! »
Le canon dit, qui nous obsède,
« Pas d'évasion, aucune aide… »
L'aurore est inventée en vain,
Les mers ne viendront pas qui chantent,
25 Ni les navires, ni les trains,
Ni l'étoile d'or, apaisante.

1938

Anthologie de la poésie russe du XVIIIe siècle à nos jours,
« Poésie », Gallimard, 1993. Traduit du russe par Katia Granoff.

Paul Eluard
(1895-1952)

Surréaliste de la première heure, Paul Eluard fut l'un des grands poètes de ce siècle. Pendant la Seconde Guerre mondiale, il consacra son écriture à la cause de la Résistance. Le poème intitulé «Liberté», appris par des générations d'écoliers, est l'un des textes emblématiques de cette époque (voir p. 122-125).

La Victoire de Guernica

1

Beau monde des masures
De la mine et des champs

2

Visages bons au feu visages bons au froid
Aux refus à la nuit aux injures aux coups

3

5   Visages bons à tout
Voici le vide qui vous fixe
Votre mort va servir d'exemple

4

La mort cœur renversé

5

Ils vous ont fait payer le pain
10 Le ciel la terre l'eau le sommeil
Et la misère
De votre vie

6

Ils disaient désirer la bonne intelligence
Ils rationnaient les forts jugeaient les fous
15 Faisaient l'aumône partageaient un sou en deux
Ils saluaient les cadavres
Ils s'accablaient de politesses

7

Ils persévèrent ils exagèrent ils ne sont pas de notre monde

8

Les femmes les enfants ont le même trésor
20 De feuilles vertes de printemps et de lait pur
Et de durée
Dans leurs yeux purs

9

Les femmes les enfants ont le même trésor
Dans les yeux
25 Les hommes le défendent comme ils peuvent

10

Les femmes les enfants ont les mêmes roses rouges
Dans les yeux
Chacun montre son sang

11

La peur et le courage de vivre et de mourir
30 La mort si difficile et si facile

12

Hommes pour qui ce trésor fut chanté
Hommes pour qui ce trésor fut gâché

13

Hommes réels pour qui le désespoir
Alimente le feu dévorant de l'espoir
35 Ouvrons ensemble le dernier bourgeon de l'avenir

14

Parias[1] la mort la terre et la hideur
De nos ennemis ont la couleur
Monotone de notre nuit
Nous en aurons raison.

« Poésie et vérité » (1942),
Au rendez-vous allemand, Éditions de Minuit, 1945.

1. Paria : personne qui est rejetée.

Antonio Machado
(1875-1939)

Poète et dramaturge espagnol, né à Séville en Andalousie. Défenseur de la République espagnole, cet ami de Federico García Lorca s'exila en 1939 en France, où il mourut.

Mort de Federico

On le vit cheminer entre les fusils
par une rue interminable,
sortir aux champs froids
avec encore les étoiles du premier matin.
5   Ils tuèrent Federico
quand la lumière apparaissait.
Le peloton de ses bourreaux
n'osa le regarder en face.
Tous fermèrent les yeux
10   et prièrent : que Dieu le sauve !
Mort, il est tombé, Federico,
avec du sang au front et du plomb aux entrailles.
Car le crime eut lieu à Grenade
– savez-vous – pauvre Grenade. Dans sa Grenade.

15   On le vit cheminer seul avec Elle,
sans peur de la faux.
Déjà le soleil sur les tours, les marteaux
sur l'enclume, l'enclume, l'enclume des forges.
Federico parlait,
20   il courtisait la Mort. Et Elle l'écoutait :
« Hier, dans mes vers, ô ma compagne,
résonnait le coup de tes paumes desséchées.
Tu as donné la glace à mon chant, et le fil
à ma tragédie, de ta lame d'argent.
25   Je chanterai la chair que tu n'as pas,

les yeux qui te manquent,
tes cheveux que le vent secouait,
tes rouges lèvres tout humides de baisers.
Aujourd'hui comme hier, gitane, ô mort qui est mienne,
30 qu'il est bon d'aller seul à seule avec toi,
à travers l'air de Grenade, ma Grenade. »

On les vit cheminer…

Ciselez, amis,
de pierre et de songe au milieu de l'Alhambra[1]
35 un tombeau pour le poète !
Qu'une fontaine y pleure son eau
et dise éternellement :
le crime eut lieu à Grenade, dans sa Grenade.

Revue *Fontaine* n° 16, décembre 1941.
In *Poésie1* n°55-61, spécial «revue *Fontaine*», 1978.
Traduit de l'espagnol par Rolland Simon.
© Le Cherche-Midi Éditeur.

---

1. Alhambra : à Grenade (Andalousie), forteresse mauresque célèbre pour sa beauté.

Pablo Neruda
(1904-1973)

Pablo Neruda est sans conteste le plus important écrivain chilien du XXᵉ siècle. Tour à tour ambassadeur, écrivain, opposant politique, ce poète lyrique s'engagea dans tous les combats de son temps ainsi qu'en témoignent ses prises de position pendant la guerre d'Espagne. Il connut l'exil, et reçut le Prix Nobel de littérature en 1971.

Madrid 1936

Madrid seule et solennelle, Juillet t'avait surprise avec ta joie
De rayon de miel pauvre ; claire était ta rue,
Clairs étaient tes songes.

   Un hoquet noir
5 De généraux, une vague
De soutanes rageuses
Rompit entre tes genoux
Ses eaux boueuses et leurs ruisseaux de fange[1].
Les yeux encore tout meurtris de sommeil,
10 Avec un vieux fusil et des pierres, Madrid,
Récemment blessée,
Tu te défendis. Tu courais
Dans les rues
Laissant les traces de ton sang sacré
15 Rassemblant, appelant d'une voix d'océan
Avec ton visage à jamais changé
Par la lueur du sang,
Madrid,
Comme une montagne vengeresse,
20 Comme une sifflante
Étoile de couteaux.

1. Voir note p. 19.

Lorsque dans les ténébreuses casernes,
Dans les sacristies de la trahison,
S'enfonça ton épée ardente,
25 Il n'y eut qu'un long silence d'aube,
Il n'y eut que le pas haletant des drapeaux,
Et qu'une honorable goutte de sang sur ton sourire.

L'Espagne au cœur, Éditions Denoël, 1938.
Traduit de l'espagnol par Louis Parrot.

Jean Wahl
(1888-1974)

Professeur de philosophie, Jean Wahl fut également poète. En raison de ses origines juives, il se vit interdire d'exercer sa profession par le régime de Vichy en 1940. Il fut arrêté, et écrivit de courts poèmes en prison puis au camp de Drancy.

Sierra[1]

Terre de souffrance, Espagne,
Derrière tes fronts butés
Je sens naître et s'arrêter une aurore de sang.
Partout l'homme est sur les barricades les plus sanglantes.
5 La Chine, l'Éthiopie,
Et là dans les sierras,
Le front est là, le front de l'homme toujours,
Au-dessus du mauvais vouloir étrange,
Brille le feu :

10   La petite étincelle dure encore,
      Entre les silex, sur la haute sierra,
      Pierre à fusil.

Numéro initial de la revue *Fontaine*, avril-mai 1939.
In *Poésie1* n°55-61, spécial «revue *Fontaine*», 1978.
© Le Cherche-Midi Éditeur.

1. Sierra : dans les pays de culture hispanique, chaîne de montagnes.

Terre basque

Ils ont frappé les bâtons avec les bâtons,
Les arceaux avec les arceaux,
Ils ont salué sous le vent fécondant du drapeau,
Ils ont frappé la terre avec leur coude,
5 Avec leur autre coude, avec leur fesse,
Avec leur autre fesse.
Ils ont frappé la terre avec leur derrière.
Ils se détachaient de la danse comme des astres attachés,
Ils entraient dans la danse en sortant de la danse,
10 Ils ont frappé la terre avec leur coude,
Le bâton avec le bâton,
La terre avec leur autre coude,
Le cheval remuait la tête,
Le dieu levait l'éclair dentelé,
15 La cantinière dansait autour du verre,
Ils ont frappé la terre avec leur coude,
Ils paraissaient écouter
Le grondement souterrain.

Numéro initial de la revue *Fontaine*, avril-mai 1939.
In *Poésie1* n°55-61, spécial «revue *Fontaine*», 1978.
© Le Cherche-Midi Éditeur.

Arrêt
sur
lecture 3

Dans les années de l'après-guerre, bien des pays pansent leurs plaies. L'Europe n'est plus qu'un champ de ruines et sort très affaiblie du conflit. Se lève alors l'espoir d'un monde meilleur, impulsé par la révolution russe qui a mis au pouvoir un régime communiste. L'Europe devient le théâtre de soulèvements populaires. La France vit dans l'effervescence des « Années folles » ; les Parisiens se pressent dans les cinémas et écoutent les chanteurs du music-hall à la radio, les artistes recherchent de nouvelles formes d'expression. On fête la paix pendant que dans d'autres pays se mettent en place des dictatures, qui trouveront dans la crise économique des années 1930 le terreau idéal à leur développement. C'est dans un climat de conflits sociaux, de répression et de guerre civile que la Seconde Guerre mondiale se profile à l'horizon.

Autour du stalinisme soviétique

Le contexte historique

La révolution d'Octobre 1917, qui sonne le glas du régime autoritaire du tsar Nicolas II, a fait naître un immense espoir dans le cœur du peuple russe. De 1917 à 1921, une guerre civile oppose les « blancs », fidèles au tsar, aux « rouges » du parti bolchevique fondé par Lénine ; ces derniers en ressortiront victorieux. De nombreux opposants sont contraints de quitter le pays. Staline, qui succède à Lénine après sa mort en 1924, instaure un régime de terreur : la population est étroitement surveillée par la police politique ; les opposants sont arrêtés et déportés au Goulag, vaste réseau de « camps de travail ». Plusieurs vagues de « purges » se succèdent, condamnant arbitrairement pour trahison des paysans hostiles aux réformes en cours, d'anciens membres du parti ou de l'armée et leurs familles. Toute idée que l'on soupçonne d'être contraire au communisme est alors vivement réprimée.

La censure

Les écoles et les universités sont étroitement contrôlées par l'État ; la presse est au service de la propagande du régime. On soumet les livres à une censure draconienne : aucune maison d'édition, aucun ouvrage ne peut voir le jour sans l'accord préalable de l'État. L'art mis au service du peuple doit traduire l'idéal socialiste. On retire des bibliothèques les œuvres qui s'écartent de la conception communiste du monde : livres d'histoire, de philosophie, de littérature, ouvrages classiques russes jugés par trop idéalistes. Intellectuels, écrivains et poètes doivent alors faire face à un climat de suspicion et d'interdictions généralisées.

La détresse des poètes russes : des destins tragiques

Au début du siècle, de nombreux écrivains russes se consacrent à la poésie. La révolution va influer considérablement sur leur vie et leur œuvre.

Poète lyrique* s'il en est, **Marina Tsvetaïeva** a publié à dix-huit ans son premier recueil. En 1922, elle quitte la Russie pour rejoindre à Prague son mari, officier de l'armée blanche. Le poème intitulé « Dis-tance » (p. 79), véritable cri de souffrance, sera rédigé trois ans plus tard, au cours de cet exil.

Restés en Russie, où ils se trouvent parfois en butte à de grandes difficultés, Anna Akhmatova, Ossip Mandelstam et Boris Pasternak, poursuivent leur œuvre.

Anna Akhmatova est classée au rang des écrivains antipopulaires et décadents parce qu'elle avait écrit des poèmes d'inspiration trop personnelle. Entrée en disgrâce pour avoir été mariée à un homme condamné et fusillé pour traîtrise, Anna Akhmatova cesse d'écrire. En 1935, l'arrestation de son fils Lev et de son second mari, N. N. Pounine, réveille sa vocation d'écrivain. Les poèmes rassemblés sous le titre *Requiem* reflètent avec une grande intensité le climat des purges staliniennes. Le texte « Ils t'ont emmené à l'aube » (p. 72), qu'elle adresse à son mari emprisonné, lie étroitement sa propre tragédie à celle des milliers de femmes qui passent des heures, des mois, devant les portes des prisons, « sous les tours du Kremlin ».

Hostile à la révolution russe, **Ossip Mandelstam** se réfugie d'abord loin de Moscou. Revenu dans la capitale, il lit à des amis un poème brossant un portrait satirique de Staline (p. 77). La réponse ne se fait pas attendre : il est arrêté dans la nuit du 12 au 13 mars 1934 et exilé en Oural, où il tente de se suicider. Il mourra d'épuisement après avoir été condamné une seconde fois à la déportation en Sibérie pour activité contre-révolutionnaire.

En tant que membre de la très officielle Union des Écrivains, **Boris Pasternak** est autorisé à poursuivre la publication de ses poèmes. Il représente la Russie dans des congrès internationaux d'écrivains. Cependant on lui reproche bientôt de ne pas respecter les modèles du « réalisme socialiste » et certains de ses recueils sont refusés. Le revers de fortune éclate plus tard : en 1957, son roman *Le Docteur Jivago,* publié à l'Ouest, connaît un énorme succès. L'année suivante, accusé de trahison, il est obligé de refuser le Prix Nobel de littérature. L'un de ses derniers textes, précisément intitulé « Le Prix Nobel » (p. 78), exprime clairement son amertume.

Des poètes isolés
En 1927, arrive au siège des journaux russes à l'Ouest un vibrant appel adressé « aux écrivains du monde ». Il émane d'un groupe d'écrivains russes qui dénoncent la censure dont ils sont victimes dans leur pays : « Pourquoi vous taisez-vous ? », « Répondez à notre appel » clament-ils devant l'indifférence silencieuse, hostile parfois, des intellectuels occidentaux. L'éloignement géographique de la Russie, la fascination exercée par l'idéologie communiste et le climat d'exaltation des Années folles ont sans doute contribué à ce désintérêt. Créé en 1920, le parti communiste français attire de nombreux artistes, parmi lesquels les surréalistes*. Il faut cependant attendre plusieurs décennies pour entendre les voix des écrivains russes.

Une figure emblématique : Vladimir Maïakovski
Le plus célébré des poètes russes en est également le plus controversé. C'est un jeune homme révolté qui, à l'âge de dix-huit ans, commence une carrière littéraire, adhère au parti bolchevique et connaît la prison. Deux ans plus tard, Vladimir Maïa-

kovski défile dans les rues de Moscou, en chemise jaune, une cuillère en bois à la boutonnière, le visage peint, en déclamant des poèmes. Lors de la révolution russe, il devient le porte-parole du nouveau régime, auquel il croit. Il fonde la revue *LEF*, dans laquelle s'expriment les valeurs de la nouvelle culture prolétarienne, propagande littéraire à la gloire du pouvoir en place. Il écrit une œuvre militante en l'honneur de la Révolution, ce qui ne l'empêche pas de fustiger le gouvernement et de s'opposer à l'académisme* révolutionnaire. En témoigne « J'ai de terribles soucis » (p. 73) : sur le plan formel, les vers disposés systématiquement en escaliers rappellent ceux d'Apollinaire. L'ironie avec laquelle le sujet est traité ne doit pas en cacher la gravité. Ce grand idéaliste, qui ne supporte ni ses propres contradictions ni celles de son époque, se suicide le 14 avril 1930 à l'âge de trente-sept ans.

Vladimir Maïakovski, dont les textes furent appris par cœur par des générations d'écoliers russes, a trouvé de grands admirateurs à l'Ouest, ainsi qu'en témoignent les œuvres de Louis Aragon qui fut l'un de ses plus proches amis.

L'horreur suscitée par la guerre de 1914-1918 et la révolution russe ont indéniablement éveillé les consciences des hommes, en particulier celles des intellectuels et des poètes, désormais prêts à s'engager.

Autour de la guerre d'Espagne

Dans l'entre-deux-guerres, l'Europe est le théâtre d'affrontements idéologiques sans précédent. D'un côté se propage la pensée communiste, de l'autre émergent les idées d'extrême droite violemment exprimées par le fascisme et le nazisme.

Le contexte historique

Après une période de grandes tensions sociales, l'Espagne, devenue une république en 1931, élit en février 1936 un gouvernement de coalition formé de socialistes, de communistes, d'anarchistes et d'autonomistes : le *Frente popular*. Ce gouvernement rencontre l'opposition d'officiers de l'armée, du clergé, et du parti d'obédience nazie que constitue la Phalange. La guerre civile éclate, et divise les Espagnols en deux clans : les républicains du *Frente popular*, et les nationalistes menés par le général Franco. Les Brigades internationales, armée de volontaires dans laquelle s'engage notamment le peintre surréaliste* André Masson, viennent grossir les rangs des républicains. Malgré un pacte de non-intervention, les franquistes reçoivent l'aide des armées allemande et italienne.

La guerre fait des milliers de victimes, parmi lesquelles le poète Federico García Lorca. Le 26 avril 1937, l'armée allemande pilonne en plein jour Guernica, petite ville du Pays basque. C'est avec la prise de la capitale, Madrid, symbole de la longue résistance des républicains, que la guerre s'achève en mars 1939. L'arrivée au pouvoir du général Franco marque le début d'une dictature qui pousse des milliers d'Espagnols à l'exil.

La solidarité internationale des poètes

À la même époque, de nombreux artistes se mobilisent pour prévenir les dangers que représentent les régimes fasciste et nazi. Leur voix s'élèvent dès les premiers jours de la guerre d'Espagne. Ils se regroupent autour d'artistes espagnols, comme le poète Rafael Alberti et le peintre Joan Miró. En 1937, ils mettent à profit l'Exposition internationale de Paris pour se retrouver et exposer leurs œuvres au pavillon de l'Espagne. Y sera vendue au profit des « enfants d'Espagne » une gravure de Valentine Hugo

Valentine Hugo, pointe sèche illustrant la dédicace du recueil de René Char *Placard pour un chemin des écoliers* (1937).

accompagnant la dédicace du recueil de René Char intitulé *Placard pour un chemin des écoliers* : « Honte ! Honte ! Honte ! » s'exclame le poète. À cette voix répondent en écho celles de multiples écrivains : espagnols, comme Antonio Machado (p. 85) ou Miguel Hernandez, qui mourra dans les prisons franquistes ; chiliens comme Pablo Neruda (p. 87) ; russes ou français comme Élie Ehrenbourg (p. 81), Paul Eluard (p. 82) ou Jean Wahl (p. 88).

Une figure emblématique : Federico García Lorca

Né à Grenade en 1898, Federico García Lorca est probablement le plus célèbre poète et dramaturge de langue hispanique du XXe siècle. Sa mort tragique en a fait symboliquement l'un des martyrs du franquisme.

Dès ses premières œuvres, rédigées dans les années 1920, il alterne l'écriture de poèmes et de pièces de théâtre. La multiplicité des influences et des écoles qui l'ont inspiré font de ce chantre de la culture gitane un poète d'une grande originalité. Il crée une troupe de théâtre, met en scène ses propres pièces et celles du théâtre classique espagnol, qu'il veut faire découvrir à un public populaire. Son œuvre développe en permanence les thèmes de la déchirure, de la séparation, de la fatalité, de la mort, souvent violente, comme le sera la sienne :

« Un géant d'eau sur les montagnes s'affaissa
et la vallée roula ses chiens et ses iris.
Ton corps, à l'ombre violette de mes mains,
était, mort sur la rive, un archange de froid. »

« Gacela de l'enfant mort », *Divan du Tamarit.*

Sans avoir d'activité politique, Federico García Lorca ne cachait pas ses sympathies pour le *Frente popular*. Arrêté à Grenade par la garde franquiste, il est fusillé le 19 août 1936.

Ami de longue date d'Antonio Machado (p. 85), de Rafael Alberti et de Salvator Dalí, le poète fut célébré longtemps après sa mort. Plusieurs textes du chanteur contemporain Jean Ferrat lui rendent hommage. L'une de ses chansons associe d'ailleurs les deux destins tragiques de Vladimir Maïakovski et Federico Garcia Lorca :

« Le cri qui gonfle la poitrine
De Lorca à Maïakovski
Des poètes qu'on assassine
Ou qui se tuent pour quoi ? pour qui ? **»**

Jean Ferrat, « Je ne chante pas pour passer le temps ».

à vous...

1 – *Dis-tance...* **(p. 79) – Par quels procédés d'insistance Marina Tsvetaïeva exprime-t-elle le sort des exilés russes ?**
– sur le plan lexical,
– sur le plan formel,
– par le jeu de la ponctuation.

2 – Les quatre poèmes (p. 72 à 78) évoquent tous la vie en Russie ; par quels termes le personnage de Staline, le régime communiste, le peuple russe sont-ils présentés ?

3 – La plupart des poèmes rassemblés dans la partie intitulée « Autour de la guerre d'Espagne » (p. 80 à 89) s'adressent à des destinataires nommément désignés.
– Relevez-les.

– En vous aidant de l'Arrêt sur lecture, identifiez leur rôle dans la guerre d'Espagne.

– Selon vous, pourquoi les poètes ont-ils choisi ce procédé ?

4 – Comment Valentine Hugo a-t-elle représenté la tragédie de la guerre d'Espagne (p. 96)?

5 – À votre tour, illustrez l'un des poèmes de cette partie de l'anthologie. Inspirez-vous, par exemple, des collages de Max Ernst, après vous être renseigné sur ce peintre.

La Résistance
et ses poètes

Louis Aragon
(1897-1982)

Écrivain et poète, Aragon fut l'un des chefs de file du surréalisme. Il fit des études de médecine mais se consacra très vite à l'écriture, aux côtés d'André Breton. Son adhésion au parti communiste en 1927, sa rencontre avec Elsa Triolet, d'origine russe et amie de Vladimir Maïakovski, l'amenèrent à un engagement profond dont il ne se départit jamais. Il entra dans la Résistance en 1941 et publia clandestinement, sous plusieurs pseudonymes, de nombreux poèmes dans lesquels l'amour de la patrie et celui de la femme aimée sont étroitement liés.

Le Musée Grévin

[...]
Je vous salue ma France aux yeux de tourterelle
Jamais trop mon tourment mon amour jamais trop
Ma France mon ancienne et nouvelle querelle
Sol semé de héros ciel plein de passereaux

5 Je vous salue ma France où les vents se calmèrent
Ma France de toujours que la géographie
Ouvre comme une paume aux souffles de la mer
Pour que l'oiseau du large y vienne et se confie

Je vous salue ma France où l'oiseau de passage
10 De Lille à Roncevaux de Brest au Mont-Cenis
Pour la première fois a fait l'apprentissage
De ce qu'il peut coûter d'abandonner un nid

Patrie également à la colombe ou l'aigle
De l'audace et du chant doublement habitée
15 Je vous salue ma France où les blés et les seigles
Mûrissent au soleil de la diversité

Je vous salue ma France où le peuple est habile
À ces travaux qui font les jours émerveillés
Et que l'on vient de loin saluer dans sa ville
20 Paris mon cœur trois ans vainement fusillé

Heureuse et forte enfin qui portez pour écharpe
Cet arc-en-ciel témoin qu'il ne tonnera plus
Liberté dont frémit le silence des harpes
Ma France d'au-delà le déluge salut

Écrit sous le pseudonyme de François-la-Colère en 1943.
Le Musée Grévin (dernières strophes), Éditions Stock, 1943.

C

J'ai traversé les ponts de Cé[1]
C'est là que tout a commencé

Une chanson des temps passés
Parle d'un chevalier blessé

5 D'une rose sur la chaussée
Et d'un corsage délacé

Du château d'un duc insensé
Et des cygnes dans les fossés

De la prairie où vient danser
10 Une éternelle fiancée

Et j'ai bu comme un lait glacé
Le long lai[2] des gloires faussées

---

1. Cé : sur la Loire, près d'Angers. L'armée française en déroute s'y était repliée en juin 1940.
2. Lai : au Moyen Âge, poème lyrique écrit en octosyllabes.

La Loire emporte mes pensées
Avec les voitures versées

15 Et les armes désamorcées
Et les larmes mal effacées

Ô ma France ô ma délaissée
J'ai traversé les ponts de Cé

Les Yeux d'Elsa (1942), Éditions Seghers.

Ballade de celui qui chanta dans les supplices

à Gabriel Péri

Et s'il était à refaire
Je referais ce chemin
Une voix monte des fers
Et parle des lendemains

5 On dit que dans sa cellule
Deux hommes cette nuit-là
Lui murmuraient Capitule
De cette vie es-tu las

Tu peux vivre tu peux vivre
10 Tu peux vivre comme nous
Dis le mot qui te délivre
Et tu peux vivre à genoux

Et s'il était à refaire
Je referais ce chemin
15 La voix qui monte des fers
Parle pour les lendemains

Rien qu'un mot la porte cède
S'ouvre et tu sors Rien qu'un mot
Le bourreau se dépossède
20 Sésame Finis tes maux

Rien qu'un mot rien qu'un mensonge
Pour transformer ton destin
Songe songe songe songe
À la douceur des matins

25 Et si c'était à refaire
Je referais ce chemin
La voix qui monte des fers
Parle aux hommes de demain

J'ai dit tout ce qu'on peut dire
30 L'exemple du Roi Henri
Un cheval pour mon empire[1]
Une messe pour Paris[2]

Rien à faire Alors qu'ils partent
Sur lui retombe son sang
35 C'était son unique carte
Périsse cet innocent

Et si c'était à refaire
Referait-il ce chemin
La voix qui monte des fers
40 Dit Je le ferai demain

Je meurs et France demeure
Mon amour et mon refus
Ô mes amis si je meurs
Vous saurez pour quoi ce fut

1. Allusion au roi Henri III d'Angleterre, auquel on prête cette phrase : « mon royaume pour un cheval ».
2. Mot d'Henri IV : « Paris vaut bien une messe. »

45 Ils sont venus pour le prendre
Ils parlent en allemand
L'un traduit Veux-tu te rendre
Il répète calmement

Et si c'était à refaire
50 Je referais ce chemin
Sous vos coups chargés de fers
Que chantent les lendemains

Il chantait lui sous les balles
Des mots *sanglant est levé*[1]
55 D'une seconde rafale
Il a fallu l'achever

Une autre chanson française
À ses lèvres est montée[2]
Finissant la Marseillaise
60 Pour toute l'humanité

Poème publié le 14 juillet 1943 dans *L'Honneur des poètes*,
sous le pseudonyme de Jacques Destaing.
La Diane française, Éditions Seghers, 1946.

Strophes pour se souvenir

Vous n'avez réclamé la gloire ni les larmes
Ni l'orgue ni la prière aux agonisants
Onze ans déjà que cela passe vite onze ans
Vous vous étiez servi simplement de vos armes
5 La mort n'éblouit pas les yeux des Partisans[3]

1. Mots provenant de *La Marseillaise*.
2. *L'Internationale*, chant de ralliement des communistes.
3. Partisans : appartenant à un parti. Pendant la Seconde Guerre mondiale, désigne les membres du parti communiste clandestin, les premiers à rejoindre le maquis.

Vous aviez vos portraits sur les murs de nos villes
Noirs de barbe et de nuit hirsutes menaçants
L'affiche qui semblait une tache de sang
Parce qu'à prononcer vos noms sont difficiles
10 Y cherchait un effet de peur sur les passants

Nul ne semblait vous voir Français de préférence
Les gens allaient sans yeux pour vous le jour durant
Mais à l'heure du couvre-feu des doigts errants
Avaient écrit sous vos photos MORTS POUR LA FRANCE
15 Et les mornes matins en étaient différents

Tout avait la couleur uniforme du givre
À la fin février pour vos derniers moments.
Et c'est alors que l'un de vous dit calmement
Bonheur à tous Bonheur à ceux qui vont survivre
20 *Je meurs sans haine en moi pour le peuple allemand*

Adieu la peine et le plaisir Adieu les roses
Adieu la vie adieu la lumière et le vent
Marie-toi sois heureuse et pense à moi souvent
Toi qui vas demeurer dans la beauté des choses
25 *Quand tout sera fini plus tard en Erivan*[1]

Un grand soleil d'hiver éclaire la colline
Que la nature est belle et que le cœur me fend
La justice viendra sur nos pas triomphants
Ma Mélinée[2] *ô mon amour mon orpheline*
30 *Et je te dis de vivre et d'avoir un enfant*

Ils étaient vingt et trois quand les fusils fleurirent
Vingt et trois qui donnaient leur cœur avant le temps

---

1. Erivan : ville d'Arménie, dont était originaire Michel Manouchian.
2. Mélinée : prénom de la femme de Michel Manouchian.

Vingt et trois étrangers et nos frères pourtant
Vingt et trois amoureux de vivre à en mourir
35 Vingt et trois qui criaient la France en s'abattant

1955.

Le Roman inachevé, Éditions Gallimard, 1956.

René Guy Cadou
(1920-1951)

*Cet instituteur consacra sa brève existence à la poésie. Il chanta le monde rural, l'enfance, l'amour qu'il portait à sa femme Hélène (*Hélène ou le règne végétal, 1952). *Poète de l'amitié, il fit partie de l'école de Rochefort, avec Jean Rousselot.*

Ravensbrück

À Ravensbrück[1] en Allemagne
On torture on brûle les femmes

On leur a coupé les cheveux
Qui donnaient la lumière au monde

5 On les a couvertes de honte
Mais leur amour vaut ce qu'il veut

La nuit le gel tombent sur elles
La main qui porte son couteau

Elles voient des amis fidèles
10 Cachés dans les plis du drapeau

1. Ravensbrück : camp de concentration situé en Allemagne, réservé aux femmes.

Elles voient Le bourreau qui veille
A peur soudain de ces regards

Elles sont loin dans le soleil
Et ont espoir en notre espoir.

«Pleine poitrine», *Œuvres poétiques complètes*,
Éditions Seghers, 1973.

Jean Cassou
(1897-1986)

Écrivain et critique, Jean Cassou s'engagea dans de nombreux combats du siècle, aussi bien politiques qu'artistiques. Entré dans la Résistance en 1940, il fut emprisonné pendant plusieurs années. À la Libération, il devint conservateur en chef du musée national d'Art moderne. Une vie pour la liberté, *publié en 1980, raconte sa vie et son engagement.*

La plaie que, depuis le temps des cerises...

La plaie que, depuis le temps des cerises,
je garde en mon cœur s'ouvre chaque jour.
En vain les lilas, les soleils, les brises
viennent caresser les murs des faubourgs.

5 Pays des toits bleus et des chansons grises,
qui saignes sans cesse en robe d'amour,
explique pourquoi ma vie s'est éprise
du sanglot rouillé de tes vieilles cours.

Aux fées rencontrées le long du chemin
10 je vais racontant Fantine et Cosette[1].
L'arbre de l'école, à son tour, répète

1. Fantine et Cosette : personnages féminins des *Misérables* de Victor Hugo.

une belle histoire où l'on dit : demain…
Ah ! jaillisse enfin le matin de fête
où sur les fusils s'abattront les poings !

Publié sous le pseudonyme de Jean Noir in *Trente-trois sonnets composés au secret*, Éditions de Minuit, 1944.

Jean Cayrol
(né en 1911)

Jean Cayrol publia ses premiers poèmes dès les années 1930. Membre d'un réseau clandestin pendant l'Occupation, il fut dénoncé et déporté au camp de Mauthausen, en Autriche. Rescapé par miracle de l'enfer concentrationnaire, il publie en 1945 Les Poèmes de la nuit et du brouillard, *qui seront suivis d'autres œuvres évoquant les souffrances endurées. En 1956, il écrit le bouleversant texte du film d'Alain Resnais* Nuit et Brouillard.

J'accuse

Au nom du mort qui fut sans nom
Au nom des portes verrouillées
Au nom de l'arbre qui répond
Au nom des plaies au nom des prés mouillés

5 Au nom du ciel en feu de nos remords
Au nom d'un père qui n'aura plus son fils
Au nom du livre où le sage s'endort
Au nom de tous les fruits qui mûrissent

Au nom de l'ennemi au nom du vrai combat
10 Où l'oiseau avait fait son nid
Au nom du grand retour de flamme et de soldats
Au nom des feuilles dans le puits

Au nom des justices sommaires
Au nom de la paix si faible et dans nos bras
15 Au nom des nuits vivantes d'une mère
Au nom d'un peuple dont s'effacent les pas

Au nom de tous les noms qui n'ont plus de renom
Au nom des lois remuantes au nom des Voix
Qui disent oui qui disent non
20 Au nom des hommes aux yeux de proie

Amour je te livre aux premières fureurs de la Joie.

Poèmes de la nuit et du brouillard, Éditions Seghers, 1945.

René Char
(1907-1988)
Voir indications biographiques page 80.

Chant du refus
Début du partisan

Le poète est retourné pour de longues années dans le néant du père. Ne l'appelez pas, vous tous qui l'aimez. S'il vous semble que l'aile de l'hirondelle n'a plus de miroir sur terre, oubliez ce bonheur. Celui qui panifiait la souffrance n'est pas visible
5 dans sa léthargie rougeoyante.

Ah! beauté et vérité fassent que vous soyez *présents* nombreux aux salves de la délivrance!

«Seuls demeurent» (1945),
in *Fureur et mystère*, «Poésie», Gallimard, 1962.

Feuillets d'Hypnos

6

L'effort du poète vise à transformer *vieux ennemis* en *loyaux adversaires* [...].

18

Remettre à plus tard la part imaginaire qui, elle aussi, est susceptible d'action.

24

La France a des réactions d'épave dérangée dans sa sieste. Pourvu que les caréniers[1] et les charpentiers qui s'affairent dans le camp allié ne soient pas de nouveaux naufrageurs !

28

Il existe une sorte d'homme toujours en avance sur ses excréments.

31

J'écris brièvement. Je ne puis guère *m'absenter* longtemps. [...] L'adoration des bergers n'est plus utile à la planète.

48

Je n'ai pas peur. J'ai seulement le vertige. Il me faut réduire la distance entre l'ennemi et moi. L'affronter *horizontalement*.

1. Caréniers : terme créé par René Char, à partir de la « carène » qui désigne la partie immergée de la coque d'un bateau.

50

Face à tout, À TOUT CELA, un colt, promesse de soleil levant !

59

Si l'homme parfois ne fermait pas *souverainement* les yeux, il finirait par ne plus voir ce qui vaut d'être regardé.

96

Tu ne peux pas te relire mais tu peux signer.

97

L'avion déboule. Les pilotes invisibles se délestent de leur jardin nocturne puis pressent un feu bref sous l'aisselle de l'appareil pour avertir que c'est fini. Il ne reste plus qu'à rassembler le trésor éparpillé. De même, le poète…

104

Les yeux seuls sont encore capables de pousser un cri.

114

Je n'écrirai pas de poème d'acquiescement[1].

---

1. Acquiescement : consentement.

128

Le boulanger n'avait pas encore dégrafé les rideaux de fer de sa boutique que déjà le village[1] était assiégé, bâillonné, hypnotisé, mis dans l'impossibilité de bouger. Deux compagnies de SS et un détachement de miliciens[2] le tenaient sous la gueule de leurs mitrailleuses et de leurs mortiers. Alors commença l'épreuve.

Les habitants furent jetés hors des maisons et sommés de se rassembler sur la place centrale. Les clés sur les portes. Un vieux, dur d'oreille, qui ne tenait pas compte assez vite de l'ordre, vit les quatre murs et le toit de sa grange voler en morceaux sous l'effet d'une bombe. Depuis quatre heures j'étais éveillé. Marcelle était venue à mon volet me chuchoter l'alerte. J'avais reconnu immédiatement l'inutilité d'essayer de franchir le cordon de surveillance et de gagner la campagne. Je changeai rapidement de logis. La maison inhabitée où je me réfugiai autorisait, à toute extrémité, une résistance armée efficace. Je pouvais suivre de la fenêtre, derrière les rideaux jaunis, les allées et venues nerveuses des occupants. Pas un des miens n'était présent au village. Cette pensée me rassura. À quelques kilomètres de là, ils suivraient mes consignes et resteraient tapis. Des coups me parvenaient, ponctués d'injures. Les SS avaient surpris un jeune maçon qui revenait de relever des collets. Sa frayeur le désigna à leurs tortures. Une voix se penchait hurlante sur le corps tuméfié : « Où est-il ? Conduis-nous. », suivie de silence. Et coups de pied et coups de crosse de pleuvoir. Une rage insensée s'empara de moi, chassa mon angoisse. Mes mains communiquaient à mon arme leur sueur crispée, exaltaient sa puissance

1. Le village : il s'agit du village de Céreste, dans les Basses-Alpes, où René Char s'est réfugié dès 1940.
2. Miliciens : désigne ici précisément les membres d'une organisation créée en 1943 par le régime de Vichy, et qui prêta main-forte à la Gestapo.

contenue. Je calculais que le malheureux se tairait encore cinq
30 minutes, puis, fatalement, il *parlerait*. J'eus honte de souhaiter
sa mort avant cette échéance. Alors apparut jaillissant de
chaque rue la marée des femmes, des enfants, des vieillards,
se rendant au lieu de rassemblement, suivant un *plan concerté*.
Ils se hâtaient sans hâte, ruisselant littéralement sur les SS, les
35 paralysant «en toute bonne foi». Le maçon fut laissé pour
mort. Furieuse, la patrouille se fraya un chemin à travers la
foule et porta ses pas plus loin. Avec une prudence infinie,
maintenant des yeux anxieux et bons regardaient dans ma
direction, passaient comme un jet de lampe sur ma fenêtre. Je
40 me découvris à moitié et un sourire se détacha de ma pâleur.
Je tenais à ces êtres par mille fils confiants dont pas un ne
devait se rompre.

J'ai aimé farouchement mes semblables cette journée-là,
bien au-delà du sacrifice.

131

À tous les repas pris en commun, nous invitons la liberté à
s'asseoir. La place demeure vide mais le couvert reste mis.

168

Résistance n'est qu'espérance. Telle la lune d'Hypnos, pleine
cette nuit de tous ses quartiers, demain vision sur le passage
des poèmes.

169

La lucidité est la blessure la plus rapprochée du soleil.

«Feuillets d'Hypnos» (1946),
in *Fureur et mystère*, «Poésie», Gallimard, 1962.

La Liberté

Elle est venue par cette ligne blanche pouvant tout aussi bien signifier l'issue de l'aube que le bougeoir du crépuscule.

Elle passa les grèves machinales ; elle passa les cimes éventrées.

Prenaient fin la renonciation à visage de lâche, la sainteté du mensonge, l'alcool du bourreau.

Son verbe ne fut pas un aveugle bélier mais la toile où s'inscrivit mon souffle.

D'un pas à ne se mal guider que derrière l'absence, elle est venue, cygne sur la blessure, par cette ligne blanche.

« Seuls demeurent » (1945),
in *Fureur et mystère,* « Poésie », Gallimard, 1962.

Affres[1], détonation, silence

Le Moulin du Calavon[2]. Deux années durant, une ferme de cigales, un château de martinets. Ici tout parlait torrent, tantôt par le rire, tantôt par les poings de la jeunesse. Aujourd'hui le vieux réfractaire[3] faiblit au milieu de ses pierres, la plupart mortes de gel, de solitude et de chaleur. À leur tour les présages se sont assoupis dans le silence des fleurs.

Roger Bernard[4] : l'horizon des monstres était trop proche de sa terre.

1. Affres : angoisses.
2. Calavon et Oppedette : noms de lieux de Haute-Provence (Luberon).
3. Réfractaire : ce mot a désigné, en 1943, les hommes qui refusèrent le S.T.O. (Service de travail obligatoire, en Allemagne) et s'engagèrent massivement dans la Résistance. Ici, il désigne métaphoriquement le moulin où se sont cachés les maquisards.
4. Roger Bernard : ce jeune poète, ami de René Char, fut fusillé par les SS le 22 juin 1944, sous les yeux de René Char et de ses hommes.

Ne cherchez pas dans la montagne ; mais si, à quelques kilomètres de là, dans les gorges d'Oppedette, vous rencontrez la foudre au visage d'écolier, allez à elle, oh, allez à elle et souriez-lui car elle doit avoir faim, faim d'amitié.

«Le Poème pulvérisé», in *Fureur et mystère*,
«Poésie», Gallimard, 1962.

Marianne Cohn
(1921-1944)

Cette jeune militante des Jeunesses sionistes avait fui l'Allemagne nazie. Elle accompagnait des enfants en Suisse lorsqu'on l'arrêta. Elle fut fusillée le 8 juillet 1944.

Je trahirai demain

Je trahirai demain pas aujourd'hui.
Aujourd'hui, arrachez-moi les ongles,
Je ne trahirai pas.

Vous ne savez pas le bout de mon courage.
5 Moi je sais.
Vous êtes cinq mains dures avec des bagues.
Vous avez aux pieds des chaussures
Avec des clous.

Je trahirai demain, pas aujourd'hui,
10 Demain.
Il me faut la nuit pour me résoudre,
Il ne me faut pas moins d'une nuit
Pour renier, pour abjurer[1], pour trahir.

---

1. Abjurer : renoncer solennellement (à sa foi, sa religion, par exemple).

Pour renier mes amis,
15 Pour abjurer le pain et le vin,
Pour trahir la vie,
Pour mourir.

Je trahirai demain, pas aujourd'hui.
La lime est sous le carreau,
20 La lime n'est pas pour le barreau,
La lime n'est pas pour le bourreau,
La lime est pour mon poignet.

Aujourd'hui je n'ai rien à dire,
Je trahirai demain.

Novembre 1943.

Cité dans *La Résistance et ses poètes*, Éditions Seghers, 1974.

Robert Desnos
(1900-1945)

*Né avec le siècle, Robert Desnos se passionna pour tout : journa-
lisme, cinéma, radio, écriture romanesque et poétique. Il participa à l'aventure surréaliste, publia en 1930 dans* Corps et Biens
*des poèmes qui jouent avec les ressources du langage. Pendant
l'Occupation, il prit vigoureusement parti contre le régime de Vichy
et écrivit des poèmes où se mêlent fantaisie verbale et appels à la
résistance. Arrêté par la Gestapo, il mourut en déportation le 8 juin
1945.*

Le Legs

Et voici, Père Hugo, ton nom sur les murailles !
Tu peux te retourner au fond du Panthéon[1]
Pour savoir qui a fait cela. Qui l'a fait ? On !
On c'est Hitler, on c'est Goebbels… C'est la racaille,

5 Un Laval, un Pétain, un Bonnard, un Brinon,
Ceux qui savent trahir et ceux qui font ripaille,
Ceux qui sont destinés aux justes représailles
Et cela ne fait pas un grand nombre de noms.

Ces gens de peu d'esprit et de faible culture
10 Ont besoin d'alibis dans leur sale aventure.
Ils ont dit : « Le bonhomme est mort. Il est dompté. »

Oui, le bonhomme est mort. Mais par-devant notaire
Il a bien précisé quel legs[2] il voulait faire :
Le notaire a nom : France, et le legs : Liberté.

Poème publié le 14 juillet 1943 dans *L'Honneur des poètes*
sous le pseudonyme de Lucien Gallois.
Destinée arbitraire, « Poésie », Gallimard, 1963.

1. Panthéon : ancienne église de Paris, dédiée à la gloire des Grands Hommes ; y sont
conservées, entre autres, les cendres de Victor Hugo.
2. Legs : ce qui se transmet par testament, héritage.

Ce cœur qui haïssait la guerre…

Ce cœur qui haïssait la guerre voilà qu'il bat pour le combat et la bataille !

Ce cœur qui ne battait qu'au rythme des marées, à celui des saisons, à celui des heures du jour et de la nuit,

Voilà qu'il se gonfle et qu'il envoie dans les veines un sang brûlant de salpêtre et de haine

Et qu'il mène un tel bruit dans la cervelle que les oreilles en sifflent

5 Et qu'il n'est pas possible que ce bruit ne se répande pas dans la ville et la campagne

Comme le son d'une cloche appelant à l'émeute et au combat.

Écoutez, je l'entends qui me revient renvoyé par les échos.

Mais non, c'est le bruit d'autres cœurs, de millions d'autres cœurs battant comme le mien à travers la France.

Ils battent au même rythme pour la même besogne tous ces cœurs,

10 Leur bruit est celui de la mer à l'assaut des falaises

Et tout ce sang porte dans des millions de cervelles un même mot d'ordre :

Révolte contre Hitler et mort à ses partisans !

Pourtant ce cœur haïssait la guerre et battait au rythme des saisons,

Mais un seul mot : Liberté a suffi à réveiller les vieilles colères

15 Et des millions de Français se préparent dans l'ombre à la besogne que l'aube proche leur imposera.

Car ces cœurs qui haïssaient la guerre battaient pour la

liberté au rythme même des saisons et des marées, du jour et de la nuit.

Publié dans *L'Honneur des poètes*, sous le pseudonyme de Pierre Andier, en 1943.
Destinée arbitraire, «Poésie», Gallimard, 1963.

Demain

Âgé de cent mille ans, j'aurais encor la force
De t'attendre, ô demain pressenti par l'espoir.
Le temps, vieillard souffrant de multiples entorses,
Peut gémir : Le matin est neuf, neuf est le soir.

5 Mais depuis trop de mois nous vivons à la veille,
Nous veillons, nous gardons la lumière et le feu,
Nous parlons à voix basse et nous tendons l'oreille
À maint bruit vite éteint et perdu comme au jeu.

Or, du fond de la nuit, nous témoignons encore
10 De la splendeur du jour et de tous ses présents.
Si nous ne dormons pas c'est pour guetter l'aurore
Qui prouvera qu'enfin nous vivons au présent.

1942.

«État de veille»,
Destinée arbitraire, «Poésie», Gallimard, 1963.

Paul Eluard
(1895-1952)
Voir indications biographiques page 82.

Avis

La nuit qui précéda sa mort
Fut la plus courte de sa vie
L'idée qu'il existait encore
Lui brûlait le sang aux poignets
5   Le poids de son corps l'écœurait
Sa force le faisait gémir
C'est tout au fond de cette horreur
Qu'il a commencé à sourire
Il n'avait pas UN camarade
10 Mais des millions et des millions
Pour le venger il le savait
Et le jour se leva pour lui.

Publié initialement sous le pseudonyme de Jean du Haut en 1943
dans *Poèmes français,* et dans *L'Honneur des poètes* sous celui
de Maurice Hervent.
Au rendez-vous allemand, Éditions de Minuit, 1945.

Liberté

Sur mes cahiers d'écolier
Sur mon pupitre et les arbres
Sur le sable sur la neige
J'écris ton nom

5   Sur toutes les pages lues
Sur toutes les pages blanches
Pierre sang papier ou cendre
J'écris ton nom

Sur les images dorées
10 Sur les armes des guerriers
Sur la couronne des rois
J'écris ton nom

Sur la jungle et le désert
Sur les nids sur les genêts
15 Sur l'écho de mon enfance
J'écris ton nom

Sur les merveilles des nuits
Sur le pain blanc des journées
Sur les saisons fiancées
20 J'écris ton nom

Sur tous mes chiffons d'azur
Sur l'étang soleil moisi
Sur le lac lune vivante
J'écris ton nom

25 Sur les champs sur l'horizon
Sur les ailes des oiseaux
Et sur le moulin des ombres
J'écris ton nom

Sur chaque bouffée d'aurore
30 Sur la mer sur les bateaux
Sur la montagne démente
J'écris ton nom

Sur la mousse des nuages
Sur les sueurs de l'orage
35 Sur la pluie épaisse et fade
J'écris ton nom

Sur les formes scintillantes
Sur les cloches des couleurs
Sur la vérité physique
40 J'écris ton nom

Sur les sentiers éveillés
Sur les routes déployées
Sur les places qui débordent
J'écris ton nom

45 Sur la lampe qui s'allume
Sur la lampe qui s'éteint
Sur mes maisons réunies
J'écris ton nom

Sur le fruit coupé en deux
50 Du miroir et de ma chambre
Sur mon lit coquille vide
J'écris ton nom

Sur mon chien gourmand et tendre
Sur ses oreilles dressées
55 Sur sa patte maladroite
J'écris ton nom

Sur le tremplin de ma porte
Sur les objets familiers
Sur le flot du feu béni
60 J'écris ton nom

Sur toute chair accordée
Sur le front de mes amis
Sur chaque main qui se tend
J'écris ton nom

65 Sur la vitre des surprises
Sur les lèvres attentives
Bien au-dessus du silence
J'écris ton nom

Sur mes refuges détruits
70 Sur mes phares écroulés
Sur les murs de mon ennui
J'écris ton nom

Sur l'absence sans désir
Sur la solitude nue
75 Sur les marches de la mort
J'écris ton nom

Sur la santé revenue
Sur le risque disparu
Sur l'espoir sans souvenir
80 J'écris ton nom

Et par le pouvoir d'un mot
Je recommence ma vie
Je suis né pour te connaître
Pour te nommer

85 Liberté.

«Poésie et Vérité» (1942).
Au rendez-vous allemand, Éditions de Minuit, 1945.

Couvre-feu

Que voulez-vous la porte était gardée
Que voulez-vous nous étions enfermés
Que voulez-vous la rue était barrée

Que voulez-vous la ville était matée[1]
5 Que voulez-vous elle était affamée
Que voulez-vous nous étions désarmés
Que voulez-vous la nuit était tombée
Que voulez-vous nous nous sommes aimés

«Poésie et Vérité» (1942).
Au rendez-vous allemand, Éditions de Minuit, 1945.

Gabriel Péri

Un homme est mort qui n'avait pour défense
Que ses bras ouverts à la vie
Un homme est mort qui n'avait d'autre route
Que celle où l'on hait les fusils
5 Un homme est mort qui continue la lutte
Contre la mort contre l'oubli

Car tout ce qu'il voulait
Nous le voulions aussi
Nous le voulons aujourd'hui
10 Que le bonheur soit la lumière
Au fond des yeux au fond du cœur
Et la justice sur la terre

Il y a des mots qui font vivre
Et ce sont des mots innocents
15 Le mot chaleur le mot confiance
Amour justice et le mot liberté
Le mot enfant et le mot gentillesse
Et certains noms de fleurs et certains noms de fruits
Le mot courage et le mot découvrir

1. Maté : dressé, soumis.

20 Et le mot frère et le mot camarade
Et certains noms de pays de villages
Et certains noms de femmes et d'amis
Ajoutons-y Péri
Péri est mort pour ce qui nous fait vivre
25 Tutoyons-le sa poitrine est trouée
Mais grâce à lui nous nous connaissons mieux
Tutoyons-nous son espoir est vivant

Au rendez-vous allemand, Éditions de Minuit, 1945.

Les Sept Poèmes d'amour en guerre

VII

Au nom du front parfait profond
Au nom des yeux que je regarde
Et de la bouche que j'embrasse
Pour aujourd'hui et pour toujours

5 Au nom de l'espoir enterré
Au nom des larmes dans le noir
Au nom des plaintes qui font rire
Au nom des rires qui font peur

Au nom des rires dans la rue
10 De la douceur qui lie nos mains
Au nom des fruits couvrant les fleurs
Sur une terre belle et bonne

Au nom des hommes en prison
Au nom des femmes déportées
15 Au nom de tous nos camarades
Martyrisés et massacrés
Pour n'avoir pas accepté l'ombre

Il nous faut drainer[1] la colère
Et faire se lever le fer
20 Pour préserver l'image haute
Des innocents partout traqués
Et qui partout vont triompher.

Au rendez-vous allemand, Éditions de Minuit, 1945.

Pierre Emmanuel
(1916-1984)

Cet écrivain fut le grand poète chrétien de la Résistance. Ses poèmes de guerre furent publiés dans Jours de colère, Combats avec tes défenseurs *en 1942 et* La liberté guide nos pas *en 1945. Élu à l'Académie française en 1968, il en démissionna quelques années plus tard, pour protester contre l'élection d'un écrivain ex-collaborationniste.*

Les Dents serrées

Je hais. Ne me demandez pas ce que je hais
il y a des mondes de mutisme entre les hommes
et le ciel veule sur l'abîme, et le mépris
des morts. Il y a des mots entrechoqués, des lèvres
5 sans visage, se parjurant[2] dans les ténèbres
il y a l'air prostitué au mensonge, et la Voix
souillant jusqu'au secret de l'âme

                        mais il y a
le feu sanglant, la soif rageuse d'être libre
10 il y a des millions de sourds les dents serrées

---

1. Drainer : attirer à soi.
2. Se parjurer : ne pas respecter un serment.

il y a le sang qui commence à peine à couler
il y a la haine et c'est assez pour espérer.

Publié sous le pseudonyme de Jean Amyot le 14 juillet 1943
dans *L'Honneur des poètes*, Éditions de Minuit clandestines.

Guillevic
(1907-1997)

Né à Carnac, ce Breton entre dans l'administration en 1926, où il fit carrière jusqu'en 1967. Il s'impose avec Terraqué *(1942), son premier recueil, suivi par* Exécutoire, *où se trouvent des textes parus clandestinement sous le pseudonyme de Serpières. Catholique pratiquant jusqu'en 1937, sympathisant communiste lors de la guerre d'Espagne, il entre au PCF en 1942 – il en démissionne en 1980. A publié vingt-deux recueils chez Gallimard.*

Les Charniers

Passez entre les fleurs et regardez
Au bout du pré c'est le charnier[1].

Pas plus de cent, mais bien en tas,
Ventre d'insecte un peu géant
5 Avec des pieds à travers tout.

Le sexe est dit par les souliers,
Les regards ont coulé sans doute.

– Eux aussi
Préféraient les fleurs. [...]

Exécutoire, «Poésie», Gallimard, 1947.

1. Charnier : fosse où sont entassés des cadavres.

Primo Levi
(1919-1987)

Ce romancier italien, d'abord chercheur en chimie, rejoignit la Résistance en 1943. Il fut déporté à Auschwitz. Après la guerre, il se consacre à l'écriture afin de témoigner et dénoncer la barbarie nazie.

Si c'est un homme
Shemà [1]

Vous qui vivez en toute quiétude
Bien au chaud dans vos maisons,
Vous qui trouvez le soir en rentrant
La table mise et des visages amis,
5 *Considérez si c'est un homme*
Que celui qui peine dans la boue,
Qui ne connaît pas de repos,
Qui se bat pour un quignon de pain,
Qui meurt pour un oui pour un non.
10 *Considérez si c'est une femme*
Que celle qui a perdu son nom et ses cheveux
Et jusqu'à la force de se souvenir,
Les yeux vides et le sein froid
Comme une grenouille en hiver.
15 N'oubliez pas que cela fut,
Non, ne l'oubliez pas :
Gravez ces mots dans votre cœur.
Pensez-y chez vous, dans la rue,
En vous couchant, en vous levant ;
20 Répétez-les à vos enfants.

1. *Shemà* : dans la religion juive, premiers mots d'une des principales prières.

Ou que votre maison s'écroule,
Que la maladie vous accable,
Que vos enfants se détournent de vous.

10 janvier 1946.

À une heure incertaine, Éditions Robert Laffont, 1996.
Traduit de l'italien par Martine Schruoffeneger.

Jean Rousselot
(né en 1913)

Ce poète proche de René-Guy Cadou publia ses premiers poèmes dans les années 1930. Pendant l'Occupation, il s'engagea dans les Forces françaises libres, établit des milliers de fausses cartes d'identité et combattit en 1944 pour la libération d'Orléans. Le recueil Refaire la nuit *a paru en 1943.*

Refaire la nuit

Il n'y avait que le silence
Derrière chaque mot volé
La route expirait dans les pierres
Entre les murs écroulés

5 Et pourtant le dernier poète
Tendait l'oreille vers la mer
Et cherchait encore à saisir
L'insaisissable oiseau de la parole.

Refaire la nuit (1943).
Les Moyens d'existence, Œuvre poétique, Seghers, 1976.

Philippe Soupault
(1897-1990)

Poète qui, aux côtés d'André Breton, inaugura l'aventure surréaliste, avec la publication du recueil Les Champs magnétiques *en 1920. Grand voyageur, il fut également journaliste et romancier. Emprisonné pendant la guerre puis libéré, il se réfugia à Alger où il écrivit en 1943 dans les revues clandestines. L'«Ode à Londres bombardée» est un très long poème imaginé pendant sa captivité.*

Ode à Londres bombardée

Cette nuit Londres est bombardée pour la centième fois
nuit noire nuit d'assassinat et de colère
l'ombre se gonfle de l'angoisse à venir
Déjà les premiers coups dans le lointain
5 et déjà les premières flammes les premiers signaux
Tout semble prêt pour le trouble le tremblement la peur
Tous soudain silencieux guettent les bruits devenus familiers
On attend la grande fête de la mort aveugle
Une lueur proche haute fervente
10 aurore d'un nouveau monde enfanté par la nuit

Nous étions bâillonnés avec de la boue et des immondices
Nous pouvions encore entendre et attendre
Nous savions nous le devinions
Cette nuit Londres est bombardée pour la centième fois
15 Une voix s'élevait c'était le cri espéré
Ici Londres Parla Londra London calling
Nous nous taisions comme lorsqu'on écoute battre un cœur
[...]

Cité dans *La Résistance et ses poètes*, Éditions Seghers, 1974.

Jean Tardieu
(1903-1995)

Jean Tardieu, connu pour ses pièces de théâtre ludiques, s'imposa comme poète pendant la Résistance en publiant clandestinement, sous divers pseudonymes.

Oradour

Oradour n'a plus de femmes
Oradour n'a plus un homme
Oradour n'a plus de feuilles
Oradour n'a plus de pierres
5 Oradour n'a plus d'église
Oradour n'a plus d'enfants

Plus de fumée plus de rires
Plus de toits plus de greniers
Plus de meules plus d'amour
10 Plus de vin plus de chansons

Oradour, j'ai peur d'entendre
Oradour, je n'ose pas
Approcher de tes blessures
De ton sang de tes ruines
15 Je ne peux je ne peux pas
Voir ni entendre ton nom.

Oradour je crie et hurle
Chaque fois qu'un cœur éclate
Sous les coups des assassins
20 Une tête épouvantée
Deux yeux larges deux yeux rouges
Deux yeux graves deux yeux grands
Comme la nuit la folie
Deux yeux de petit enfant :

25 Ils ne me quitteront pas.
Oradour je n'ose plus
Lire ou prononcer ton nom

Oradour honte des hommes
Oradour honte éternelle
30 Nos cœurs ne s'apaiseront
Que par la pire vengeance
Haine et honte pour toujours.

Oradour n'a plus de forme
Oradour, femmes ni hommes
35 Oradour n'a plus d'enfants
Oradour n'a plus de feuilles
Oradour n'a plus d'église
Plus de fumées plus de filles
Plus de soirs ni de matins
40 Plus de pleurs ni de chansons

Oradour n'est plus qu'un cri
Et c'est bien la pire offense
Au village qui vivait
Et c'est bien la pire honte
45 Que de n'être plus qu'un cri,
Nom de la haine des hommes
Nom de la honte des hommes
Le nom de notre vengeance
Qu'à travers toutes nos terres
50 On écoute en frissonnant.
Qui hurle pour tous les temps.

Publié dans l'ultime numéro clandestin des *Lettres françaises*,
septembre 1944.
Cité dans *La Résistance et ses poètes*, Éditions Seghers, 1974.

André Verdet
(né en 1918)

Ce poète, ami de Jacques Prévert et de Robert Desnos, appartenait pendant la guerre au mouvement Combat. Déporté à Auschwitz puis à Buchenwald, il écrivit des poèmes qu'il rassembla en 1947 dans le recueil intitulé Les Jours, les Nuits et puis l'Aurore.

Tu me disais

Tu me disais : Ma femme est belle comme l'aube
Qui monte sur la mer du côté de Capri[1]
Tu me disais : Ma femme est douce comme l'eau
Qui poudre aux yeux mi-clos de la biche dormante
5 Tu me disais : Ma femme est fraîche comme l'herbe
Qu'on mâche sous l'étoile au premier rendez-vous
Tu me disais : Ma femme est simple comme celle
Qui perdant sa pantoufle y gagna son bonheur
Tu me disais : Ma femme est bonne comme l'aile
10 Que Musset glorifia dans sa nuit du printemps

Tu me disais aussi : Ma femme est plus étrange
Que la vierge qui fuit derrière sa blancheur
Et ne livre à l'époux qu'un fantôme adorable

Tu me disais encore : Je voudrais lui écrire
15 Qu'il n'est pas une aurore où je n'ai salué
Son image tremblant dans le creux de mes mains

Tu me disais encore : Je voudrais la chanter
Avec des mots volés dans le cœur des poètes
Qui sont morts en taisant la merveille entendue

---

1. Capri : île de l'Italie centrale, dans la baie de Naples, célèbre pour sa beauté.

20 Tu me disais enfin : Je voudrais revenir
Près d'elle à l'improviste une nuit où le songe
Peut-être insinuerait que je ne serais plus

Tu es mort camarade
Atrocement dans les supplices
25 Ta bouche souriant au fabuleux amour

Buchenwald, 15 mai 1944-17 mai 1945.

Cité dans *La Résistance et ses poètes,* Éditions Seghers, 1974.

Jean Wahl
(1888-1974)
Voir indications biographiques page 88.

Poèmes de circonstance
À mon corps

Ils ne m'auront ni par la faim ni par la peur
Et s'ils m'avaient un jour, ce serait mon squelette
Et s'ils faisaient un jour ma dernière toilette
Ils trouveraient changé mon corps, mais non mon cœur.

Mais nous serons bien un ou deux

Le monde usé jusqu'à la corde
Découvre son envers hideux
Et l'univers se désaccorde
Mais nous serons bien un ou deux
Pour ne pas nous soucier des hordes
Et pour lever encor les yeux.

Cités dans *La Résistance et ses poètes*, Éditions Seghers, 1974.

Arrêt
sur
lecture 4

La guerre d'Espagne a constitué un formidable terrain d'essai pour l'Allemagne, désormais prête à réaliser le rêve hégémonique de son chef, Adolf Hitler. Dès lors, plus rien ne retient un régime de plus en plus autoritaire, de plus en plus xénophobe, ouvertement antisémite. L'humiliation provoquée par le traité de Versailles, à l'issue de la Grande Guerre, favorise la réalisation des idées impérialistes d'Hitler qui fait du réarmement le fer de lance de sa politique économique. Les provocations répétées en direction des démocraties voisines, la violation des droits internationaux, l'invasion de la Pologne le 1er septembre 1939 rendent la guerre inévitable.

Les Français connaissent alors la « drôle de guerre », la débâcle de juin 1940, l'exode, puis l'occupation de la partie nord du pays. Dans un premier temps, la majeure partie d'entre eux restent attentistes. Un régime de collaboration, qui bafoue les principes de la République, s'installe alors en France. Ce régime se fait le valet d'une Allemagne qui impose à toute l'Europe un « ordre nouveau », d'une Gestapo qui arrête, fusille, torture. Progressivement, la Résistance s'organise. À partir de l'année 1942, le gouvernement de Vichy multiplie les mesures contre les juifs et les résistants ; elles aboutiront à l'envoi d'hommes, de femmes et d'enfants vers les camps d'extermination. Le premier convoi pour Auschwitz part de Paris le 27 mars 1942.

Plus que jamais, les poètes se feront les hérauts des meurtrissures de leur temps. À l'image de Robert Desnos et Benjamin Fondane, beaucoup prendront une part active au combat, allant parfois jusqu'à donner leur vie.

Une poésie de circonstance

« Refuser la poésie de circonstance, c'est refuser aux poètes [...] l'honneur des poètes qui est d'être des hommes. **»**

Louis Aragon.

On n'a jamais autant écrit de poésie en France qu'en ces temps d'Occupation. Les textes présentés dans l'anthologie n'en représentent qu'une partie. La plupart ont en commun de constituer des « poèmes de circonstance », comme ceux de Jean Wahl (p. 136). Ils reflètent les réalités de la situation en France : Louis Aragon évoque la débâcle de 1940 (p. 103), Paul Eluard le « couvre-feu » imposé aux Français. Les noms propres évoquent des lieux et des personnages existants, des événements marquants. Ainsi en est-il du poème de Robert Desnos « Le Legs » (p. 119) dans lequel l'ennemi est explicitement désigné, des hommages à Gabriel Péri de Louis Aragon et de Paul Eluard (p. 104 et 126). La plupart de ces textes furent écrits dans la clandestinité.

Les conditions d'écriture

On n'a jamais autant lu en France que durant la période d'Occupation. Pourtant le papier est rationné ; l'occupant exerce un contrôle sur la publication des ouvrages : il fait détruire des tonnes de livres d'auteurs juifs ou antinazis, met en place un comité de censure auquel sont soumis les livres à paraître. Il est désormais extrêmement difficile de publier. En zone libre, des revues dirigées par des poètes continuent de paraître : *Poésie*, *Messages*, *Confluence* ou *Fontaine* constitueront bientôt le foyer des poèmes de Résistance.

C'est en 1942 qu'apparaissent en France les Éditions de Minuit clandestines ainsi que le journal *Les Lettres françaises*, dont le premier numéro daté du 20 septembre 1942 appelle « tous les écrivains français à s'unir pour la défense et l'illustration des Lettres françaises ». La revue *Messages*, longtemps exilée en Suisse, est à nouveau éditée à Paris. Les auteurs écrivent sous des pseudonymes. C'est au péril de leur vie qu'éditeurs, imprimeurs et écrivains publient des textes. Le combat par les mots rejoint celui des armes.

L'Honneur des poètes

Le 14 juillet 1943, les Éditions de Minuit clandestines publient *L'Honneur des poètes,* recueil collectif rassemblant vingt-deux poètes sous divers pseudonymes. Paul Eluard en rédige le texte liminaire, sans le signer :

❰❰ Whitman animé par son peuple, Hugo appelant aux armes, Rimbaud aspiré par la Commune, Maïakovski exalté, exaltant, c'est vers cette action que les poètes à la vue immense sont, un jour ou l'autre, entraînés. Leur pouvoir sur les mots étant absolu, leur poésie ne saurait jamais être diminuée par le contact plus ou moins rude du monde extérieur. La lutte ne peut que leur rendre des forces. Il est temps de redire, de proclamer que les poètes sont des hommes comme les autres, puisque les meilleurs d'entre eux ne cessent de soutenir que tous les hommes sont ou peuvent être à l'échelle du poète.

Devant le péril aujourd'hui couru par l'homme, des poètes nous sont venus de tous les points de l'horizon français. Une fois de plus, la poésie mise au défi se regroupe, retrouve un sens précis à sa violence latente, crie, accuse, espère. **》**

Figurent dans ce recueil quelques-uns des grands textes poétiques de l'époque : la « Ballade de celui qui chanta dans les supplices » (p. 104), « Ce cœur qui haïssait la guerre » (p. 120), « Avis » (p. 122) ou « Les Dents serrées » (p. 128). L'ouvrage reçoit un accueil retentissant : plusieurs fois réédité, distribué clandestinement, il trouve une immense audience en France et à l'étranger.

à vous...

1 – En vous aidant du paratexte*, cherchez sous quels pseudonymes les poètes de la Résistance ont publié clandestinement leurs poèmes.

2 – Qu'évoquent les titres des recueils de Louis Aragon, *La Diane française* (p. 106), et de Robert Desnos, *État de veille* (p. 121) ?

Une poésie de résistants

Nombre de poètes entrent dans la Résistance dès les premiers jours de l'Occupation, comme si la poésie les prédisposait au combat. Chacun y prend sa part à des degrés divers. L'acte d'écrire devient à lui seul acte de résistance.

Les poèmes de combat

Animés par le refus de l'Occupation, bien des poètes s'expriment dans un langage codé, incompréhensible pour l'occupant. Ainsi en est-il de « Demain » (p. 121), poème à double sens, dans lequel Robert Desnos lance un appel à résister. Le poème « Liberté » (p. 122) de Paul Eluard connaît à la même époque un destin exemplaire : initialement écrit pour une femme aimée sous le titre « Une seule pensée », le texte s'achève sur le mot « liberté ». Le responsable de la censure, croyant à un poème d'amour, autorise sa publication. Alors rebaptisé « Liberté », le poème de Paul Eluard devient rapidement l'un des emblèmes de la Résistance : les Anglais le parachutent en France, sous forme de milliers de tracts, en même temps que des armes. « Le Musée Grévin » (p. 102), chant patriotique de Louis Aragon, et l'« Ode à Londres bombardée » de Philippe Soupault (p. 132) furent diffusés de la même manière.

L'année 1942, qui fut l'un des moments les plus durs de l'Occupation, voit se multiplier les publications de poèmes, dirigés contre l'occupant, qui en appellent ouvertement à la révolte. En février, la revue *Pages*, d'origine suisse, rend hommage à la poésie française sous l'Occupation : « grande leçon que celle d'un pays où les premiers à relever la tête furent les poètes ! »

En 1943, *L'Honneur des poètes* constitue un moment fort pour tous ceux qui, en France ou à l'étranger, espèrent encore.

L'Affiche rouge, publiée par la propagande allemande au moment de la capture et de l'exécution de vingt-trois membres du groupe Manouchian formé de résistants communistes immigrés (février 1944).

En témoigne la diffusion foudroyante du premier des poèmes clandestins de Louis Aragon, la « Ballade de celui qui chanta dans les supplices » (p. 104), vibrant hommage à la mémoire de Gabriel Péri, fusillé en décembre 1941. Lu, récité, maintes fois recopié par des milliers d'anonymes, ce poème devient, comme « Liberté », l'un des textes fondamentaux de la Résistance. Le poète se fait la voix de ceux qui « chantent les lendemains ».

Au nom de la Liberté
Si ces textes touchent profondément les Français des années de l'Occupation, c'est qu'ils en appellent à des valeurs partagées, des idéaux dans lesquels chaque être peut se reconnaître. En célébrant la nature, la terre, la France (« ma France », insiste Louis Aragon, p. 104), les poèmes réveillent la veine patriotique. Y sont exaltés les principes fondamentaux de la République et les valeurs universelles héritées de la Déclaration des droits de l'homme : fraternité, justice, loyauté. Les références à l'héritage partagé, au patrimoine commun (« Le Legs » de Robert Desnos fait par exemple clairement allusion à Victor Hugo) interpellent un peuple de culture ; la glorification des grandes figures de résistants entend secouer les consciences. Nombre de textes expriment le désarroi, la colère des poètes – « je hais », dit entre ses dents Pierre Emmanuel (p. 128) – ou exhortent à la révolte. La poésie des résistants émeut enfin parce qu'elle délivre un message d'espoir : espoir de paix, d'amitié, d'amour, de liberté.

Poèmes de prison
Dans *La Résistance expliquée à mes petits-enfants*, la résistante Lucie Aubrac dit l'importance que prit la poésie pendant les années de guerre :

« On lisait, on relisait, on apprenait. En prison, on essayait de se souvenir de poèmes en temps de liberté. Vous savez, tout le monde est un peu poète. Des vers, on ne les oublie pas, on les écrit sur les murs de sa cellule, on les récite dans les camps et on en fabrique. [...] Que l'on soit libre, arrêté, déporté, ces moments de poésie étaient des temps privilégiés, même hors de France. [...] Dans ces moments partagés, nous trouvions notre force. **»**

Formidable arme contre l'ennemi, la poésie offre un soutien dans la détresse. Arrêté et emprisonné à Toulouse, Jean Cassou apprend par cœur les sonnets qu'il compose, faute de pouvoir les écrire. Jean Wahl, incarcéré à Fresnes parce qu'il est juif, écrit des « poèmes de circonstance ». À sa sortie de prison, Philippe Soupault dédie un long poème à ceux qui, à Londres, par la voix de la BBC, lui avaient apporté de l'espoir. Marianne Cohn, enfin,

Vignettes extraites de l'album *Auschwitz*, de Pascal Croci (2000). Cette scène, située à la fin du récit, montre la difficulté qu'ont eue les rescapés à témoigner de l'horreur des camps d'extermination nazis.

refusa d'être libérée sans les enfants qui l'accompagnaient avant son arrestation ; rédigé dans les mois qui précèdent son exécution, « Je trahirai demain » (p. 117) sera retrouvé dans la poche de l'un de ses protégés.

« N'oubliez pas que cela fut »

Certains des textes présentés dans l'anthologie n'ont pas été écrits durant la guerre, mais constituent de précieux appels à la mémoire. Jean Tardieu évoque ainsi l'horreur du massacre perpétré par les troupes allemandes en juin 1944 dans le village d'Oradour-sur-Glane, au sud-ouest de la France. « Oradour » (p. 133), qui fut le dernier poème publié clandestinement, nous invite à ne pas oublier l'un des épisodes les plus marquants de la barbarie nazie.

Comment exprimer l'horreur des camps de la mort ? C'est à cette question qu'ont tenté de répondre quelques-uns des poètes présentés dans l'anthologie. Primo Levi, qui a survécu à Auschwitz, ne cessera par exemple de lutter « contre l'oubli ». *Si c'est un homme*, récit autobiographique précédé d'un poème du même nom (p. 130), constitue un véritable réquisitoire contre la déportation. Jean Cayrol et André Verdet, également rescapés des camps, écriront à leur tour des recueils de poèmes aux titres terriblement évocateurs : *Poèmes de la nuit et du brouillard* (p. 110) et *Les Jours, les Nuits et puis l'Aurore* (p. 135). À ces voix viendront s'ajouter celles de poètes qui entendent conserver la mémoire des camps sans avoir pourtant vécu l'horreur. Parmi eux, Jean Ferrat, auteur d'une chanson douloureusement intitulée « Nuit et Brouillard ».

Une œuvre emblématique :
Feuillets d'Hypnos de René Char

René Char constitue un cas particulier pendant la période d'Occupation. À la différence de ceux qui publièrent clandestinement leurs poèmes, l'auteur de « Chant du refus » (p. 111) décide de ne plus faire paraître d'œuvres poétiques. Il s'engage activement dans la Résistance en devenant responsable de la section des Basses-Alpes, sous le double nom de Capitaine Alexandre et d'Hypnos. Les armes se substituent alors à la plume.

Pendant les années de guerre, René Char n'écrit que des textes brefs, rassemblés à la Libération en deux courts recueils : *Seuls demeurent* et *Feuillets d'Hypnos*. Y alternent, dans une écriture fragmentaire, le récit de moments vécus et d'anecdotes sur la Résistance, des aphorismes* et les notes éparses d'un journal, des réflexions sur la poésie et de brèves notations poétiques. Le choix des mots et l'emploi d'images fortes confèrent à ces « feuillets » en prose la richesse de la poésie.

à vous...

3 – Parmi l'ensemble des textes de cette partie, dites :
– ceux qui appellent d'une manière explicite à la révolte,
– ceux qui contiennent un message d'espoir.

4 – Pourquoi le paratexte* est-il essentiel dans le texte d'André Verdet (p. 135) ?

5 – Repérez deux textes d'auteurs français non déportés évoquant les camps de la mort. Comment les ont-ils évoqués ?

6 – Retrouvez les extraits des *Feuillets d'Hypnos* (p. 112 à 115) qui font référence à la Résistance. Comment Allemands et collaborateurs y sont-ils désignés ? Comment les résistants sont-ils représentés ?

7 – « Il y a des mots qui font vivre. » En prenant appui sur des exemples précis, dites comment vous comprenez ce vers de Paul Eluard (p. 126).

Une poésie efficace

Les poètes de la Résistance opèrent un retour à des modèles plus classiques, loin des inventions verbales prônées par le surréalisme*.

Une poésie de facture classique

Au cours des années de guerre, bien des écrivains recourent aux poèmes de forme fixe. Ainsi Jean Cassou et Robert Desnos écrivent-ils des sonnets*, Philippe Soupault une ode*, poème d'origine antique voué à la célébration des victoires. La parole poétique renoue avec la tradition populaire. Louis Aragon retrouve les formes médiévales de la poésie française (« C », p. 103, « Ballade* de celui qui chanta dans les supplices », p. 104), faisant alterner paroles et refrains, utilisant quatrains* et distiques*. Les surréalistes engagés dans la Résistance sont les premiers à réhabiliter la rime et les mètres traditionnels que sont l'alexandrin* et le décasyllabe*. Le rythme de la poésie s'apparente alors à celui de la chanson qui convient mieux à ce que Louis Aragon nomme la « poésie militante ». Par leur construction et leur musicalité, de nombreux textes de l'époque seront d'ailleurs interprétés par les chanteurs d'après guerre.

Le recours aux figures de style

L'emploi de figures particulièrement expressives marque sans conteste la poésie de Résistance. En multipliant les images fortes, le poète espère atteindre la sensibilité du lecteur et le faire réagir. Par leur pouvoir évocateur, métaphores* et comparaisons traduisent la violence des émotions partagées.

Les poèmes d'Aragon, d'Eluard ou de Desnos abondent en antithèses* et en parallélismes de constructions, opposant l'amour à la guerre, ceux « qui disent oui [à ceux] qui disent non », hier à aujourd'hui, l'atroce présent aux « lendemains qui chantent »... Leur musicalité, que renforcent maintes allitérations*, en facilite la mémorisation. À l'image du poème que Jean Tardieu intitule « Oradour » (p. 133) ou de « Liberté » de Paul Eluard (p. 122), bien des textes recourent à ces procédés d'insistance que constituent la répétition et l'anaphore*. Cette poésie de résistants tend à l'efficacité.

> ## à vous...
>
> **8 – En utilisant les mêmes expressions anaphoriques ou d'autres de votre invention, écrivez un poème qui frappe l'attention du lecteur.**

Un texte représentatif de l'époque : « C » de Louis Aragon (p. 103)

Extrait du recueil intitulé *Les Yeux d'Elsa*, paru en Suisse en mars 1942, « C » est l'un des textes les plus représentatifs de l'époque.

Quatre des neuf distiques* qui composent ce poème au titre singulier évoquent une « chanson des temps passés ». Le champ lexical de la féodalité (« chevalier », « château », « duc »), l'évocation d'un amour contrarié, la rivalité masculine que suscite « une éternelle fiancée » entraînent le lecteur au **Moyen Âge**. Ce voyage dans le temps est d'autant plus frappant que le poète recourt aux formes de la versification médiévale : l'emploi du distique et la régularité toute musicale de l'octosyllabe* confèrent à ce poème l'apparence d'une chanson d'autrefois. De multiples jeux de sonorités rappellent aussi les exercices des « Grands Rhétoriqueurs », poètes de la fin du Moyen Âge : emploi d'une rime unique faisant écho au titre du poème (« Cé », « commencé », « passés », « blessés », etc.), recours aux assonances* (« chanson des temps passés »), aux allitérations* (« chanson », « passés », « chevalier », « blessé », « chaussée »), aux homophones (« lait / lai ») et aux paronomases* (« armes / larmes »).

En dépit de ses références médiévales, « C » est également ancré dans **l'histoire contemporaine**. Aragon, qui fut responsable d'une équipe sanitaire à l'ouest de la France, y relate un épisode de la débâcle de l'armée française, franchissant la Loire sur les ponts de Cé, en 1940, pour échapper aux troupes allemandes. L'évocation des « voitures versées » ou des « armes désamorcées » sont autant d'allusion à la guerre dont le poète (qui s'exprime à la première personne) fut le témoin. L'apostrophe sur laquelle se referme le texte – « Ô ma France ô ma délaissée » – révèle la détresse que l'abandon de la patrie inspire au poète.

La mise en parallèle des deux époques n'est pas le fruit du hasard. En recourant à l'épopée médiévale, Louis Aragon évoque de manière implicite la situation de la France en 1940. Comment ne pas voir en elle cette « éternelle fiancée » que l'armée française, « chevalier blessé », tente de protéger des assauts meurtriers d'Hitler, véritable « duc insensé » ? Comment ne pas entendre le message par lequel Aragon exhorte les Français à ne pas se laisser déshonorer par la défaite ?

Plus qu'une romance médiévale, « C » est une œuvre de circonstance.

Combats
contemporains

Le refus de la guerre

Alain Bosquet
(1919-1998)

Alain Bosquet, né à Odessa en Ukraine, connut tour à tour les tourments de l'exil et de la guerre. Installé à Paris à partir de 1951, il est l'auteur d'une œuvre poétique, romanesque et critique considérable.

Raconte-moi le passé...

– Raconte-moi le passé.
– Il est trop vaste.
– Raconte-moi le 20e siècle.
– Il y eut des luttes sanglantes,
5 puis Lénine[1],
puis l'espoir,
puis d'autres luttes sanglantes.
– Raconte-moi le temps.
– Il est trop vieux.
10 – Raconte-moi mon temps à moi.
– Il y eut Hitler,
il y eut Hiroshima[2].
– Raconte-moi le présent.
– Il y a toi,
15 et encore toi,
et le bonheur qui ressemble
au soleil sur les hommes.

1. Lénine (1870-1924) : révolutionnaire et homme politique qui engagea la Russie dans la construction du socialisme.
2. Hiroshima : ville du Japon sur laquelle les Américains lancèrent la première bombe atomique, le 8 août 1945.

– Raconte-moi…
– Non, mon enfant,
20 c'est toi qui dois me raconter
l'avenir.

Sonnets pour une fin de siècle, «Poésie», Gallimard, 1980.

Louis Calaferte
(1928-1994)

Écrivain français d'origine italienne dont l'œuvre, âpre et lyrique, est dominée par un sentiment de révolte contre la guerre, l'injustice et le conformisme.

Vous avez laissé faire un monde…

Vous avez laissé faire un monde de corruption.
Vous avez laissé faire un monde de mensonge.
Vous avez laissé faire un monde de lâcheté.
Vous avez laissé faire un monde d'ignorance.
5 Vous avez laissé faire un monde de routine.
Vous avez laissé faire un monde de pauvreté.
Vous avez laissé faire un monde de souteneurs.
Vous avez laissé faire un monde d'équarrisseurs[1].
On arrête.
10 On emprisonne.
On torture.
On assassine.
Et maintenant – qu'est-ce que vous espérez?

Non, je ne suis pas mort, mais que ça ne vous empêche pas de
m'envoyer des fleurs.

Choses dites, Le Cherche-Midi Éditeur, 1997.

1. Équarrisseurs : personnes chargées de dépecer les animaux dans les abattoirs.

Guillevic
(1907-1997)
Voir indications biographiques page 129.

Morbihan

Ce qui fut fait à ceux des miens,
Qui fut exigé de leurs mains,
Du dos cassé, des reins vrillés,

Vieille à trente ans, morte à vingt ans,
5   Quand le regard avait pour âge
L'âge qu'on a pour vivre clair,

Ce qui fut fait à ceux des miens,
Pas de terre assez pour manger,
Pas de temps assez pour chanter

10   Et c'est la terre ou c'est la mer,
Le travail qui n'est pas pour soi,
La maison qui n'est pas pour toi,

Quatorze pour les rassembler,
L'armistice pour les pleurer,
15   L'alcool vendu pour les calmer,

Un peu d'amour pour commencer,
Quelques années pour s'étonner,
Quelques années pour supporter,

Je ne peux pas le pardonner.

Sphère, «Poésie», Gallimard, 1963.

Jacques Prévert
(1900-1977)

Né à Neuilly-sur-Seine avec le siècle, Jacques Prévert est sans doute la figure la plus populaire de la poésie française. Compagnon de route des surréalistes, dramaturge et scénariste, il publie son premier recueil, Paroles, *à la fin de la Seconde Guerre mondiale.*

Barbara

Rappelle-toi Barbara
Il pleuvait sans cesse sur Brest ce jour-là
Et tu marchais souriante
Épanouie ravie ruisselante
5 Sous la pluie
Rappelle-toi Barbara
Il pleuvait sans cesse sur Brest
Et je t'ai croisée rue de Siam
Tu souriais
10 Et moi je souriais de même
Rappelle-toi Barbara
Toi que je ne connaissais pas
Toi qui ne me connaissais pas
Rappelle-toi
15 Rappelle-toi quand même ce jour-là
N'oublie pas
Un homme sous un porche s'abritait
Et il a crié ton nom
Barbara
20 Et tu as couru vers lui sous la pluie
Ruisselante ravie épanouie
Et tu t'es jetée dans ses bras
Rappelle-toi cela Barbara

Et ne m'en veux pas si je te tutoie
25 Je dis tu à tous ceux que j'aime
Même si je ne les ai vus qu'une seule fois
Je dis tu à tous ceux qui s'aiment
Même si je ne les connais pas
Rappelle-toi Barbara
30 N'oublie pas
Cette pluie sage et heureuse
Sur ton visage heureux
Sur cette ville heureuse
Cette pluie sur la mer
35 Sur l'arsenal
Sur le bateau d'Ouessant
Oh Barbara
Quelle connerie la guerre
Qu'es-tu devenue maintenant
40 Sous cette pluie de fer
De feu d'acier de sang
Et celui qui te serrait dans ses bras
Amoureusement
Est-il mort disparu ou bien encore vivant
45 Oh Barbara
Il pleut sans cesse sur Brest
Comme il pleuvait avant
Mais ce n'est plus pareil et tout est abîmé
C'est une pluie de deuil terrible et désolée
50 Ce n'est même plus l'orage
De fer d'acier de sang
Tout simplement des nuages
Qui crèvent comme des chiens
Des chiens qui disparaissent
55 Au fil de l'eau sur Brest

Et vont pourrir au loin
Au loin très loin de Brest
Dont il ne reste rien.

Paroles, Éditions Gallimard, 1946.

Claude Roy
(1915-1997)

Poète, romancier, essayiste et critique littéraire, Claude Roy est l'auteur d'une œuvre importante et diversifiée. Fait prisonnier au cours de la Seconde Guerre mondiale, il s'évade, découvre le communisme et s'affirme comme l'un des écrivains engagés de son temps.

Jamais je ne pourrai

Jamais jamais je ne pourrai dormir tranquille aussi longtemps
que d'autres n'auront pas le sommeil et l'abri
ni jamais vivre de bon cœur tant qu'il faudra que d'autres
meurent qui ne savent pas pourquoi
5 J'ai mal au cœur mal à la terre mal au présent
Le poète n'est pas celui qui dit Je n'y suis pour personne
Le poète dit J'y suis pour tout le monde
Ne frappez pas avant d'entrer
Vous êtes déjà là
10 Qui vous frappe me frappe
J'en vois de toutes les couleurs
J'y suis pour tout le monde

Pour ceux qui meurent parce que les juifs il faut les tuer
pour ceux qui meurent parce que les jaunes cette race-là c'est
    fait pour être exterminé

15 pour ceux qui saignent parce que ces gens-là ça ne comprend
    que la trique
pour ceux qui triment parce que les pauvres c'est fait pour tra-
    vailler
pour ceux qui pleurent parce que s'ils ont des yeux eh bien
    c'est pour pleurer
pour ceux qui meurent parce que les rouges ne sont pas de
    bons Français
pour ceux qui paient les pots cassés du Profit et du mépris des
    hommes

20 *Dépêche AFP[1] de Saïgon De notre correspondant particulier*
sur le front de Corée l'Agence Reuter[2] mande de Malaisie Le
Quartier Général des Forces Armées communique Le Tribunal
Militaire siégeant à huis clos De notre envoyé spécial à
Athènes.

25 *Les milieux bien informés de Madrid*

Mon amour ma clarté ma mouette mon long cours
depuis dix ans je t'aime et par toi recommence
me change et me défais m'accrois et me libère
mon amour mon pensif et mon rieur ombrage
30 en t'aimant j'ouvre grand les portes de la vie
et parce que je t'aime je dis

Il ne s'agit plus de comprendre le monde
Il faut le transformer
[...]

«Les Circonstances», *Poésies*, «Poésie», Gallimard, 1970.

---

1. AFP : Agence France Presse.
2. Reuter : agence de presse britannique diffusant ses nouvelles dans le monde entier.

Boris Vian
(1920-1959)

Musicien, dramaturge, romancier et poète, Boris Vian est l'un des artistes les plus talentueux de sa génération. À l'image de la chanson intitulée «Le Déserteur», ses textes témoignent d'un sens aigu de la provocation et d'un antimilitarisme radical.

Le Déserteur

Monsieur le Président
Je vous fais une lettre
Que vous lirez peut-être
Si vous avez le temps

5   Je viens de recevoir
Mes papiers militaires
Pour partir à la guerre
Avant mercredi soir

Monsieur le Président
10   Je ne veux pas la faire
Je ne suis pas sur terre
Pour tuer des pauvres gens

C'est pas pour vous fâcher
Il faut que je vous dise
15   Ma décision est prise
Je m'en vais déserter.

Depuis que je suis né
J'ai vu mourir mon père
J'ai vu partir mes frères
20   Et pleurer mes enfants

Ma mère a tant souffert
Qu'elle est dedans sa tombe
Et se moque des bombes
Et se moque des vers

25 Quand j'étais prisonnier
On m'a volé ma femme
On m'a volé mon âme
Et tout mon cher passé

Demain de bon matin
30 Je fermerai ma porte
Au nez des années mortes
J'irai sur les chemins.

Je mendierai ma vie
Sur les routes de France
35 De Bretagne en Provence
Et je dirai aux gens

Refusez d'obéir
Refusez de la faire
N'allez pas à la guerre
40 Refusez de partir

S'il faut donner son sang
Allez donner le vôtre
Vous êtes bon apôtre
Monsieur le Président

45 Si vous me poursuivez
Prévenez vos gendarmes
Que je n'aurai pas d'armes
Et qu'ils pourront tirer   1954.

Textes et chansons, Éditions Julliard, 1966.

À tous les enfants

À tous les enfants qui sont partis le sac au dos
Par un brumeux matin d'avril
Je voudrais faire un monument
À tous les enfants qui ont pleuré le sac au dos
5 Les yeux baissés sur leurs chagrins
Je voudrais faire un monument

Pas de pierre, pas de béton, ni
de bronze qui devient vert sous la morsure
aiguë du temps
10 Un monument de leur souffrance
Un monument de leur terreur
Aussi de leur étonnement
Voilà le monde parfumé, plein de
rires, plein d'oiseaux bleus, soudain
15 griffé d'un coup de feu
Un monde neuf où
sur un corps qui va tomber grandit une tache
de sang
Mais à tous ceux qui sont restés les pieds
20 au chaud, sous leur bureau en calculant
le rendement de la guerre qu'ils ont voulue
À tous les gras, tous les cocus qui
ventripotent dans la vie et
comptent et comptent leurs écus
25 À tous ceux-là je dresserai le monument
qui leur convient avec la schlague avec
le fouet, avec mes pieds, avec mes poings
Avec des mots qui colleront sur leurs
faux-plis, sur leurs bajoues, des marques
30 de honte et de boue.

Chansons, Éditions Fayard-Pauvert.

La guerre m'a pris

La guerre m'a pris dans ses bras rouges
Et m'a bercé
La guerre m'a vu de ses yeux rouges
Et m'a parlé
5 Elle m'a dit veux-tu t'étendre
Auprès de moi
Sur mon grand lit, mon lit de cendre
Mon lit bien froid

Chansons, Éditions Fayard-Pauvert.

Le refus du colonialisme

Aimé Césaire
(né en 1913)

Né à la Martinique, aux Antilles, Aimé Césaire se rend à Paris pour terminer ses études. Il y rencontre Léon-Gontran Damas et Léopold Sédar Senghor avec lesquels il deviendra l'un des chantres de la «négritude». Poète militant, il épouse la cause du peuple noir et s'engage dans l'action politique. En 1945, il est élu maire de Fort-de-France, avant de devenir député de la Martinique.

Cahier d'un retour au pays natal

[...]

C'était un très bon nègre.

Et on lui jetait des pierres, des bouts de ferraille, des tessons de bouteille, mais ni ces pierres, ni cette ferraille, ni ces bouteilles...

5 Ô quiètes années de Dieu sur cette motte terraquée[1]!

et le fouet disputa au bombillement des mouches la rosée sucrée de nos plaies.

Je dis hurrah! La vieille négritude
progressivement se cadavérise
10 l'horizon se défait, recule et s'élargit
et voici parmi des déchirements de nuages la fulgurance d'un
signe

---

1. Terraquée : composée de terre et d'eau.

le négrier craque de toute part… Son ventre se convulse et résonne… L'affreux ténia de sa cargaison ronge les boyaux
15 fétides de l'étrange nourrisson des mers !

Et ni l'allégresse des voiles gonflées comme une poche de doublons[1] rebondie, ni les tours joués à la sottise dangereuse des frégates policières ne l'empêchent d'entendre la menace de ses grondements intestins

20 En vain pour s'en distraire le capitaine pend à sa grand'vergue le nègre le plus braillard ou le jette à la mer, ou le livre à l'appétit de ses molosses

La négraille aux senteurs d'oignon frit retrouve dans son sang répandu le goût amer de la liberté

25 Et elle est debout la négraille

la négraille assise
inattendument debout
debout dans la cale
debout dans les cabines
30 debout sur le pont
debout dans le vent
debout sous le soleil
debout dans le sang

        debout
35   et
          libre

debout et non point pauvre folle dans sa liberté et son dénuement maritimes girant en la dérive parfaite et la voici :
plus inattendument debout
40 debout dans les cordages
debout à la barre

1. Doublons : monnaie en or.

debout à la boussole
debout à la carte
debout sous les étoiles

45   debout
              et
            libre
et le navire lustral s'avancer impavide[1] sur les eaux écroulées.

Cahier d'un retour au pays natal (1947).
Présence Africaine, 1983.

Léon-Gontran Damas
(1912-1978)

Né à Cayenne, en Guyane, métis, Léon-Gontran Damas entreprend ses études à la Martinique avant de venir en France où il se lie d'amitié avec Aimé Césaire, Léopold Sédar Senghor et Robert Desnos qui préfacera son premier recueil (Pigments) *en 1937. Élu député de la Guyane en 1960, il ne cessera de se battre pour la défense de l'identité noire.*

Solde

Pour Aimé Césaire.

J'ai l'impression d'être ridicule
dans leurs souliers
dans leur smoking
dans leur plastron[2]
5 dans leur faux-col
dans leur monocle
dans leur melon

1. Impavide : qui ne manifeste aucune peur (à ne pas confondre avec « impassible »).
2. Plastron : pièce d'un vêtement qui couvre la poitrine.

J'ai l'impression d'être ridicule
avec mes orteils qui ne sont pas faits
10 pour transpirer du matin jusqu'au soir qui déshabille
avec l'emmaillotage qui m'affaiblit les membres
et enlève à mon corps sa beauté de cache-sexe

J'ai l'impression d'être ridicule
avec mon cou en cheminée d'usine
15 avec ces maux de tête qui cessent
chaque fois que je salue quelqu'un

J'ai l'impression d'être ridicule
dans leurs salons
dans leurs manières
20 dans leurs courbettes
dans leur multiple besoin de singeries

J'ai l'impression d'être ridicule
avec tout ce qu'ils racontent
jusqu'à ce qu'ils vous servent l'après-midi
25 un peu d'eau chaude
et des gâteaux enrhumés

J'ai l'impression d'être ridicule
avec les théories qu'ils assaisonnent
au goût de leurs besoins
30 de leurs passions
de leurs instincts ouverts la nuit
en forme de paillasson

J'ai l'impression d'être ridicule
parmi eux complice
35 parmi eux souteneur
parmi eux égorgeur

les mains effroyablement rouges
du sang de leur ci-vi-li-sa-tion

Pigments (1937), Présence Africaine, 1962.

David Diop
(1927-1961)

*Ce poète sénégalais, né à Bordeaux, fut fauché en pleine jeunesse
par un accident d'avion.* Coups de pilon, *paru en 1956, est son
unique recueil.*

Afrique

Afrique mon Afrique
Afrique des fiers guerriers dans les savanes ancestrales
Afrique que chante ma grand' Mère
Au bord de son fleuve lointain
5 Je ne t'ai jamais connue
Mais mon regard est plein de ton sang
Ton beau sang noir à travers les champs répandu
Le sang de ta sueur
La sueur de ton travail
10 Le travail de l'esclavage
L'esclavage de tes enfants
Afrique dis-moi Afrique
Est-ce donc toi ce dos qui se courbe
Et se couche sous le poids de l'humilité
15 Ce dos tremblant à zébrures rouges
Qui dit oui au fouet sur les routes de midi
Alors gravement une voix me répondit
Fils impétueux cet arbre robuste et jeune
Cet arbre là-bas

20 Splendidement seul au milieu de fleurs blanches et fanées
C'est l'Afrique ton Afrique qui repousse
Qui repousse patiemment obstinément
Et dont les fruits ont peu à peu
L'amère saveur de la liberté.

Coups de pilon, 1956. D.R.

Léopold Sédar Senghor
(né en 1906)

Né à Joal, au Sénégal, Léopold Sédar Senghor fit ses études secondaires en France où il obtint une agrégation de grammaire. Avec Aimé Césaire et Léon-Gontran Damas, il fonde une revue, élabore le concept de «négritude» et devient l'une des figures les plus marquantes de la littérature noire d'expression française. En 1960, le poète est élu président du Sénégal, poste qu'il occupe jusqu'en 1980.

Hosties noires

Poème liminaire

À L.-G. Damas

Vous Tirailleurs Sénégalais[1], mes frères noirs à la main chaude
    sous la glace et la mort
Qui pourra vous chanter si ce n'est votre frère d'armes, votre
    frère de sang?

Je ne laisserai pas la parole aux ministres, et pas aux généraux
Je ne laisserai pas – non! – les louanges de mépris vous enter-
    rer furtivement.

1. Tirailleurs sénégalais : les tirailleurs sont des soldats mis aux premières lignes dans les combats. Durant la Grande Guerre, de nombreux Sénégalais sont morts pour défendre la France.

5 Vous n'êtes pas des pauvres aux poches vides sans honneur
Mais je déchirerai les rires *banania* sur tous les murs de
 France.

Car les poètes chantaient les fleurs artificielles des nuits de
 Montparnasse
Ils chantaient la nonchalance des chalands sur les canaux de
 moire[1] et de simarre[2]
Ils chantaient le désespoir distingué des poètes tuberculeux
10 Car les poètes chantaient les rêves des clochards sous l'élé-
 gance des ponts blancs
Car les poètes chantaient les héros, et votre rire n'était pas
 sérieux, votre peau noire pas classique.

Ah! ne dites pas que je n'aime pas la France – je ne suis pas la
 France, je le sais –
Je sais que ce peuple de feu, chaque fois qu'il a libéré ses
 mains
A écrit la fraternité sur la première page de ses monuments
15 Qu'il a distribué la faim de l'esprit comme de la liberté
À tous les peuples de la terre conviés solennellement au festin
 catholique.
Ah! ne suis-je pas assez divisé? Et pourquoi cette bombe
Dans le jardin si patiemment gagné sur les épines de la
 brousse?
Pourquoi cette bombe sur la maison édifiée pierre à pierre?

20 Pardonne-moi, Sira-Badral, pardonne étoile du Sud de mon
 sang
Pardonne à ton petit-neveu s'il a lancé sa lance pour les seize
 sons du sorong[3].

---

1. Moire : éclat changeant et chatoyant d'un tissu.
2. Simarre : habit long, originellement en peau de mouton.
3. Sorong : nom donné en Afrique à un instrument de musique.

Notre noblesse nouvelle est non de dominer notre peuple, mais
d'être son rythme et son cœur

Non de paître les terres, mais comme le grain de millet de
pourrir dans la terre

Non d'être la tête du peuple, mais bien sa bouche et sa trompette.

25 Qui pourra vous chanter si ce n'est votre frère d'armes, votre
frère de sang

Vous Tirai'leurs Sénégalais, mes frères noirs à la main chaude,
couchés ⸱ous la glace et la mort?

Paris, avril 1940.

«Hosties noires» (1948),
Œuvre poétique, Le Seuil, 1964 et 1990.

Véronique Tadjo
(née en 1955)

*Née à Paris d'un père ivorien et d'une mère française, Véronique
Tadjo enseigne actuellement à l'université d'Abidjan, en Côte
d'Ivoire.* Latérite *est son premier recueil de poèmes.*

Je vous salue

Vous les fouilleurs de poubelles
les infirmes
aux moignons crasseux
les borgnes
5 les hommes rampants
vous les maraudeurs
les gamins des taudis
je vous salue.
Quel fardeau portez-vous

10 en ce monde immonde
plus lourd que la ville
qui meurt de ses plaies ?
Quelle puissance
vous lie à cette terre frigide
15 qui n'enfante des jumeaux
que pour les séparer ?
Qui n'élève des buildings
que pour vous écraser
sous les tonnes de béton
20 et d'asphalte fumant ?
Vous les mangeurs
de restes
les sans-logis
les sans-abri
25 Quel regard portez-vous
sur l'horizon en feu ?

Latérite, « Monde noir Poche », CEDA, 1984.

TSN (Tout Simplement Noir)

Ce groupe de rap, né en France au début des années 1990, a fait paraître deux disques dans lesquels domine la condamnation du racisme exercé à l'encontre des Noirs : Dans Paris nocturne *et* Le Mal de la nuit.

Le Peuple noir

Refrain :
« trop persécuté à travers le temps
le peuple noir a dû subir les pires abominations »

nous le savons tous, le Nègre était bien l'premier sur la planète
pour ne pas le reconnaître il faudrait être malhonnête
5 même si au fil des siècles l'histoire a été bafouée
tôt ou tard finit par éclater la vérité
qui aurait pu croire que les pharaons étaient noirs
et que c'est bien en Afrique que la civilisation démarre
Il faut savoir que les plus grandes inventions de tous les temps
10 ont incontestablement pris naissance sur ce continent
jusqu'à ce que l'homme blanc y arrive et y détruise tout
le rêve noir partit en fumée pour un monde de fous
arrachés à la terre mère pour un long voyage en enfer
fer aux pieds, fer aux poings, les nègres ont souffert
15 leur sang a trop coulé sur ces putains d'États d'Amérique
une fois l'esclavage aboli on passe aussitôt à la suite
on enchaîne avec la ségrégation et les crimes racistes
aucun droit pour les Noirs, tel sera rendu le verdict
en même temps en Afrique partout ils vont et colonisent
20 comme si les plus anciens avaient besoin qu'on les civilise
qui sont les vrais sauvages, hein? j'aimerais qu'on me le dise
entre un peuple qui vit en paix et celui qui les tyrannise
réalise tous les dommages qu'ils ont causés
il faudrait des siècles pour que cicatrise la plaie
25 si aujourd'hui le peuple noir est au dernier rang dans le monde
on sait pourquoi «Babylone» c'est un constat

Refrain

durant la Deuxième Guerre mondiale, des tas de Noirs
sont tombés pour la France
maintenant on leur crache dessus en signe de reconnaissance
30 dès que ça va mal on s'en sert comme bouc émissaire
le nègre qui vit dans la misère, c'est la bonne affaire
à chaque fois c'est la même chose on lui balance tout sur le
      dos

on ne peut pas dire que le monde occidental lui fasse de
    cadeaux

le sida c'est les Noirs, la drogue c'est les Noirs

35 le crime c'est les Noirs, bref tout ce qui est mauvais c'est les
    Noirs

mais qui crée tous ces fléaux, qui est à la base

faudrait déjà savoir ça avant de lancer des a priori tout nazes

le Black lutte sans arrêt pour tenter de s'en sortir

et lorsqu'il atteint son but on le bloque on tente de l'affaiblir

40 on ne veut pas qu'il monte, surtout si ses idées sont contre

les injustices actuelles auxquelles on le confronte

quelle honte, comment peut-on enlever à des familles entières
    un toit

pour les laisser vivre dans les bois

qui croit changer les choses en envoyant un sac de riz en
    Somalie

45 et par ailleurs soutient un gouvernement qui négocie

avec tous ces chefs d'État pourris d'Afrique

qui au profit des néo-colons piquent dans leur propre pays tout
    le fric

et ça donne quoi des guerres, et ça donne quoi des morts

mais que vaut bien la vie d'un Nègre dans ce maudit décor

50 victime du plus terrible génocide

quand dites-moi le peuple noir sera-t-il libre ?

Refrain

Chanson extraite du disque *Le Mal de la Nuit*
(Panam Productions/La Pieuvre, 1997).
Texte cité dans Jean-Claude Perrier, *Le Rap français – Anthologie*,
La Table ronde, « La Petite Vermillon », Paris, 2000.

Dans le monde d'aujourd'hui

Julos Beaucarne
(né en 1936)

Julos Beaucarne, né à Bruxelles en Belgique, se définit lui-même comme un chanteur engagé et dissident. Le respect des droits de l'Homme, la défense des minorités et l'avenir écologique de la planète sont parmi ses principaux combats.

Lettre à Kissinger

« Il y des centaines de silences qui assassinent pendant des siècles et des siècles.
Nos oreilles sont là pour nous tenir éveillés.
Il y des réveille-matin qui chantent comme des clairons,
Il y en a peu qui chantent des berceuses ».

J'veux te raconter Kissinger[1]
L'histoire d'un des mes amis
Son nom ne te dira rien :
Il était chanteur au Chili.

5 Ça se passait dans un grand stade
On avait amené une table
Mon ami qui s'appelait Jara[2]
Fut amené tout près de là.

On lui fit mettre la main gauche
10 Sur la table et un officier

---

1. Henry Kissinger : homme politique américain, né en 1923, qui fut secrétaire d'État sous les présidents Richard Nixon et Gérald Ford.
2. Victor Jara : guitariste chilien emprisonné puis exécuté en septembre 1973, pour avoir osé proclamer son amour de la liberté.

D'un seul coup avec une hache
Les doigts de la gauche a tranchés

D'un autre coup il sectionna
Les doigts de la dextre et Jara
15 Tomba tout son sang giclait
Six mille prisonniers criaient

L'officier déposa la hache
Il s'appelait p't-être Kissinger
Il piétina Victor Jara :
20 « Chante, dit-il, tu es moins fier. »

Levant ses mains vides des doigts
Qui pinçaient hier la guitare
Jara se releva doucement :
« Faisons plaisir au commandant. »

25 Il entonna l'hymne de l'U,
De l'Unité populaire
Repris par les six mille voix
Des prisonniers de cet enfer.

Une rafale de mitraillette
30 Abattit alors mon ami,
Celui qui a pointé son arme
S'appelait peut-être Kissinger.

Cette histoire que j'ai racontée,
Kissinger, ne se passait pas
35 En quarante-deux mais hier,
En septembre septante-trois.

Chanson extraite du disque *Chandeleur septante-cinq*.
«J'ai 20 ans de chansons», Didier-Hatier-Vents d'Ouest, 1997.

Pour Lounès Matoub

Le 28 juin 1998, c'était un dimanche
Et ce jour-là on t'a enterré devant ta maison
De Taourirt Moussa en Kabylie
Lounès Matoub[1], mon frère berbère
5 Des gens sont venus nombreux de partout de Tizi
Ouzou
Des femmes surtout
C'étaient elles qui vibraient le plus
Au son de ta voix
10 Elles qui sont la cible des tueurs de la Vie
Elles qui sont les porteuses de Vie
Les messagères de l'Amour
On t'a enterré entre un figuier et un cerisier devant ta
maison
15 Ces deux arbres fruitiers sont les gardiens de ton
silence
Si tant éloquent
Qui traverse la frontière de la mort
Et tonitrue
20 On t'a enterré entre un figuier et un cerisier
Toi qui défendais le Tamazight
La langue berbère, ton wallon à toi
Ta sœur Malika disait ce jour-là
Qu'il faut continuer le combat
25 Des minorités
Le combat de la différence
Qu'il faut vénérer et faire fleurir
Face à l'uniformisation mondiale
Mon lion de toutes les Kabylies[2]

1. Lounès Matoub : chanteur berbère assassiné le 25 juin 1998.
2. Kabylie : région du nord-est de l'Algérie essentiellement peuplée de Berbères.

30 Tu dors là-bas
Tu es le levain du pain de demain
J'aimerais goûter les cerises de ton
cerisier
Et les figues de ton figuier
35 La Berbérie est envahie par la barbarie
Et non seulement la Berbérie
Mais toute l'Algérie
Tu les empêchais de tirer en rond
Ces tueurs imbéciles
40 À l'esprit court
À la logique mécanique
Ils n'ont pas compris qu'en te tuant
Ils multipliaient ta force par 9.999
Le lion est devenu ouragan, bourrasque, typhon
45 Les morts hurlent dans le paysage de l'injustice
Et de la bêtise humaine
Ô Lounès Matoub
Je ne suis rien qu'un chanteur comme
toi
50 Un faiseur de rêve et d'amour
Je te salue toi et Malika,
les tiennes et les tiens
Fraternellement et pauvrement
Dans les distances.

Le 30 juin 98 à 23 h.

Monde neuf, Éditions de L'Archipel, 1999.

Tristan Cabral

(né en 1944)

Ancien pasteur, aujourd'hui professeur de philosophie, Tristan Cabral est l'auteur de plusieurs recueils de poèmes. La Messe en mort, *récemment parue, témoigne de sa révolte contre l'injustice et l'oppression.*

Deux Hommes beaux

À la mémoire de Jean Sénac, Alger, Pointe-Pescade,
le 30 avril 1973,
et de Tahar Djaout, Alger, Baïnem,
le 26 mai 1993...

Un homme beau est mort qui signait d'un soleil
il s'appelait Sénac[1]
Jean Sénac

Un homme beau est mort qui signait d'une rose
5 il s'appelait Djaout[2]
Tahar Djaout

depuis
toute une enfance est morte pour le monde...

sous l'amandier nomade
10 ils venaient tous les deux...
à l'eau du soir blessée
ils ramassaient les ombres
pour en faire des pétales

toujours l'inespéré accompagnait leurs pas...

15 toujours dans leur maison
on partageait le pain

1. Jean Sénac : poète algérien de langue française assassiné à Alger le 30 avril 1973.
2. Tahar Djaout : journaliste assassiné à Alger le 26 mai 1993.

toujours dans leur maison
on partageait le sel

et la douce patience qui tremble au bord des larmes…
20 ils n'avaient pas sur eux le visage de Dieu !…

et la mort en grand nombre a frappé en vingt ans !

hier c'était Sénac
aujourd'hui c'est Djaout
assassinés chez eux par les mêmes tueurs
25 pour avoir cru ensemble à une même Terre
de toutes les couleurs
pour avoir cru ensemble à une même Terre
de toutes les douleurs…

hier c'était Sénac
30 aujourd'hui c'est Djaout
assassinés chez eux par les mêmes tueurs
sur cette même Terre de toutes les splendeurs…
assassinés chez eux en des temps différents
et semblables pourtant…

35 deux hommes beaux sont morts
tous d'eux enfants d'orages
et des frères pourtant

deux hommes beaux sont morts qui signent d'un Silence…

Marseille, en face d'Alger, le 17 juin 1993.

La Messe en mort, Le Cherche-Midi Éditeur, 1999.

Andrée Chedid
(née en 1920)

Bien que d'origine libanaise, Andrée Chedid est née au Caire en Égypte. Aujourd'hui installée à Paris, elle est l'auteur d'une œuvre poétique profonde et simple qui interroge les déchirures de l'Histoire.

Dépecez l'espérance

Désespérément égorgez l'espoir, mes frères

Dépecez l'espérance jusqu'à l'os !

La vengeance fut votre trappe
La haine votre guet-apens

5 Mais qui mena le jeu ?
Et qui vous a armés ?

Sans rêve   sans avenir
sans visage singulier

Répandus tant que vous êtes
10 dans le bâti des morts

Disparus tant que vous êtes
dans la matrice funèbre

Comment se détourner de votre image, mes frères ?

Votre histoire est l'histoire
15 reflet de nos sueurs haineuses
de nos monstres assoupis
de nos faces déchaînées

Puérils sont les mots
Vaine   l'écriture
20 Effréné pourtant, le désarroi du cœur

On ne sait pas   on ne voit pas
ce qui pousse dans ces cloaques[1]
quelle cause innocente ces massacres

quel chancre[2] nous ravage
25 et nous entraîne si loin ?

Vos actions nous minent
Et vous déciment, mes frères !

Cessez d'alimenter la mort !

Cérémonial de la violence, Éditions Flammarion, 1976.

Nâzim Hikmet
(1902-1963)

Né à Salonique, Nâzim Hikmet passe une partie de sa vie en prison pour avoir proclamé son attachement à la liberté d'expression et à la justice. Libéré sous la pression des intellectuels étrangers après une grève de la faim, l'écrivain poursuit son existence en exil. Il est considéré comme le grand poète turc du XXe siècle.

La Grande Humanité

La grande humanité voyage sur le pont des navires
                    Dans les trains en troisième classe
                    Sur les routes à pied
                    La grande humanité

---

1. Cloaque : lieu où croupissent des eaux sales.
2. Chancre : ulcération de la peau et des muqueuses.

5 La grande humanité va au travail à huit ans
                    Elle se marie à vingt
                    Meurt à quarante
                    La grande humanité

Le pain suffit à tous sauf à la grande humanité
10   Le riz aussi
                    Le sucre aussi
                    Le tissu aussi
                    Le livre aussi
Cela suffit à tous sauf à la grande humanité.

15 Il n'y a pas d'ombre sur la terre de la grande humanité
                    Pas de lanterne dans ses rues
                    Pas de vitres à ses fenêtres
Mais elle a son espoir la grande humanité
                    On ne peut vivre sans espoir.

Tachkent, 7 octobre 1958.

Il neige dans la nuit, «Poésie», Gallimard, 1999.
Traduit du turc par Munevver Andac et Guzine Dino.

Le Vingtième Siècle

– «Dormir maintenant
Et se réveiller dans cent ans, mon bien-aimé...»
– «Non,
Mon siècle ne me fait pas peur,
5 Je ne suis pas un déserteur.
Mon siècle misérable,
                    scandaleux,
                    mon siècle courageux,
                              grand
10   et héroïque.

Je n'ai jamais regretté   d'être venu trop tôt au monde,
Je suis du vingtième siècle :
Et j'en suis fier.
Il me suffit
15   d'être au vingtième siècle,
                         là où je suis,
d'être de notre camp,
Et de me battre pour un monde nouveau…»
– «Dans cent ans, mon bien-aimé…»
20 – «Non, plus tôt et malgré tout,
Mon vingtième siècle mourant et renaissant,
Et dont les derniers jours seront si beaux,
Ma nuit terrible qui se termine dans des clameurs
d'aurore,
25 Comme tes yeux, ma bien-aimée,
Mon   siècle sera plein de soleil…»

1948.

Il neige dans la nuit, «Poésie», Gallimard, 1999.
Traduit du turc par Munevver Andac et Guzine Dino.

Ludovic Janvier
(né en 1934)

Auteur de plusieurs romans, Ludovic Janvier a également publié deux recueils de poésie, La mer à boire *(1987) et* Entre jour et sommeil *(1992), qui l'ont imposé comme l'un des poètes français importants de notre époque.*

Du nouveau sous les ponts

> *Ah, ils les foutent à la Seine.*
> Anonyme

> *Il y a eu la journée du 17 octobre. Et celles d'avant. Et celles d'après. Et les cadavres dans la Seine, et les cadavres dans les bois. Aucune enquête sérieuse n'a été faite ni aucune sanction prise.*
>
> E.A.L.V.

> *Vous parlez d'Octobre 17*
> *Moi je pense au 17 octobre*

1

Paris 61 dix-sept octobre[1] on est à l'heure grise
où le pays se met à table en disant c'est l'automne
lorsque silencieux venus des bidonvilles et cagnas [2]
des Algériens français sur le soir envahissent
5 de leur foule entêtée les boulevards ils n'aiment pas
ce couvre-feu qui les traite en coupables
décidément ça fait trop d'Arabes qui bougent
le Pouvoir envoie ses flics sur tous les ponts
nous montrer qu'à Paris l'ordre règne
10 il pleut sur les marcheurs et sur les casques il va pleuvoir
bientôt sur les cris pleuvoir sur le sang

---

1. 17 octobre 1961 : date où eurent lieu à Paris des manifestations algériennes pacifiques, violemment réprimées dans le sang.
2. Cagnas : ce terme désigne les cabanes des bidonvilles dans lesquelles vivaient alors bien des familles algériennes.

2

Sur Ahcène Boulanouar
battu puis jeté à l'eau
en chemise et sans connaissance
15 vers Notre-Dame il fait noir
le choc le réveille il nage
la France elle en est à la soupe

Et sur Bachir Aidouni
pris avec d'autres marcheurs
20 lancés dans l'eau froide aller simple
de leurs douars jusqu'à la Seine
Bachir seul retouche au quai
la France elle en est au fromage

Sur Khebach avec trois autres
25 qui tombent depuis le pont
d'Alfortville on l'aura cogné
moins fort puisqu'il en remonte
les frères où sont-ils passés
la France elle en est au dessert

30 Et sur les quatre ouvriers
menés d'Argenteuil au Pont
Neuf pour y être culbutés
dans l'eau noire en souvenir
de nous un seul va survivre
35 la France elle en est à roter

Et sur les trente à Nanterre
roués de coup précipités
depuis le pont dit du Château
quinze à peu près vont au fond
40 tir à vue sur ceux qui nagent
la France elle est bonne à dormir

3

Paris terre promise à tous les rêveurs des gourbis
leur Chanaan ce soir est dans l'eau sombre
ils ont gémi sous la pluie mains sur la nuque
45 c'est mains dans le dos qu'on en retrouve ils flottent
enchaînés pour quelques jours à la poussée du fleuve
c'est la pêche miraculeuse ah pour mordre ça mord
on en repêche au pont d'Austerlitz
on en repêche aux quais d'Argenteuil
50 on en repêche au pont de Bezons la France dort
on repêche une femme au canal Saint-Denis
les rats crevés les poissons ventre en l'air les godasses
ne filent plus tout à fait seuls avec les vieux cartons
et les noyés habituels venus donner contre les piles
55 on peut dire qu'il y a du nouveau sous les ponts
la Seine s'est mise à charrier des Arabes
avec ces éclats de ciel noir dans l'eau frappée de pluie

La Mer à boire, Éditions Gallimard, 1987.

Félix Leclerc
(1914-1988)

Romancier, poète, compositeur et interprète, considéré comme le pionnier de la chanson québécoise contemporaine.

L'Alouette en colère

J'ai un fils enragé
qui ne croit ni à Dieu
ni à diable
ni à moi.
5 J'ai un fils écrasé
par les temples à finance

où il ne peut entrer
et par ceux des paroles
d'où il ne peut sortir.
10 J'ai un fils dépouillé
comme le fut son père
porteur d'eau
scieur de bois
locataire et chômeur
15 dans son propre pays.
Il ne lui reste plus
Qu'la belle vue sur le fleuve
et sa langue maternelle qu'on ne reconnaît pas.
J'ai un fils révolté un fils humilié
20 un fils qui demain sera un assassin.
Alors moi j'ai eu peur
et j'ai crié à l'aide, au secours, quelqu'un !
Le gros voisin d'en face
est accouru armé grossier étranger
25 pour abattre mon fils une bonne fois pour toutes
et lui casser les reins
et le dos
et la tête
et le bec
30 et les ailes
alouette
ah…
Mon fils est en prison
et moi je sens en moi
35 dans le tréfonds de moi pour la première fois
malgré moi malgré moi
entre la chair et l'os
s'installer la colère…

Collection Expression, *21 Titres Chansons d'auteurs*.
Polygram distribution.

Gaston Miron
(1928-1996)

Figure emblématique de la poésie québécoise contemporaine, Gaston Miron s'est engagé à la fois dans la défense de la francophonie et la lutte indépendantiste. Son œuvre poétique est parue en France en 1970, sous le titre L'Homme rapaillé.

Compagnon des Amériques

Compagnon des Amériques
mon Québec ma terre amère ma terre amande
ma patrie d'haleine dans la touffe des vents
j'ai de toi la difficile et poignante présence
5 avec une large blessure d'espace au front
dans une vivante agonie de roseaux au visage

je parle avec les mots noueux de nos endurances
nous avons soif de toutes les eaux du monde
nous avons faim de toutes les terres du monde
10 dans la liberté criée de débris d'embâcle
nos feux de position s'allument vers le large
l'aïeule prière à nos doigts défaillante
la pauvreté luisant comme des fers à nos chevilles

mais cargue-moi en toi pays, cargue-moi
15 et marche au rompt le cœur de tes écorces tendres
marche à l'arête de tes dures plaies d'érosion
marche à tes pas réveillés des sommeils d'ornières
et marche à ta force épissure des bras à ton sol

mais chante plus haut l'amour en moi, chante
20 je me ferai passion de ta face
je me ferai porteur des germes de ton espérance
veilleur, guetteur, coureur, haleur de ton avènement
un homme de ton réquisitoire

un homme de ta patience raboteuse et varlopeuse
25 un homme de ta commisération infinie
     l'homme artériel de tes gigues
dans le poitrail effervescent des poudreries
dans la grande artillerie de tes couleurs d'automne
dans tes hanches de montagnes
30 dans l'accord comète de tes plaines
dans l'artésienne vigueur de tes villes
devant toutes les litanies
     de chats-huants qui huent dans la lune
devant toutes les compromissions en peaux de vison
35 devant les héros de la bonne conscience
les émancipés malingres
     les insectes des belles manières
devant tous les commandeurs de ton exploitation
de ta chair à pavé
40   de ta sueur à gages

mais donne la main à toutes les rencontres, pays
ô toi qui apparais
     par tous les chemins défoncés de ton histoire
aux hommes debout dans l'horizon de la justice
45 qui te saluent
salut à toi territoire de ma poésie
salut les hommes des pères de l'aventure

L'Homme rapaillé, «Poésie» Gallimard, 1999.

L'Octobre

[…]
nous te ferons, Terre de Québec
lit des résurrections

et des mille fulgurances de nos métamorphoses
de nos levains où lève le futur
5 de nos volontés sans concessions
les hommes entendront battre ton pouls dans l'histoire
c'est nous ondulant dans l'automne d'octobre
c'est le bruit roux de chevreuils dans la lumière
l'avenir dégagé
                    l'avenir engagé

L'Homme rapaillé, «Poésie» Gallimard, 1999.

Jean Orizet
(né en 1937)

*Écrivain, éditeur et critique littéraire, Jean Orizet est l'auteur de
nombreux recueils de poèmes et de diverses anthologies.*

Adieu au siècle

Héritier d'un siècle épuisé
Je livre ici quelques images
Qui me pèseront sur le cœur
Pour le millénaire à venir
5 J'ai vu tout près de Bethléem
De très jeunes Palestiniens
se battre à coups de lance-pierres
contre les fusils des soldats

Sur les trottoirs de Calcutta
10 J'ai croisé des enfants sans mains
Qui mendient par le seul regard
Ils n'ont ni maison ni parents

Au Cambodge, en Afghanistan
Encore et toujours des enfants

15 Au pied broyé sur une mine
Laissée par des soldats enfuis

En Afrique ils meurent de faim
En Algérie on les égorge
Partout ils sont martyrisés
20 Les enfants de notre planète

Dans les bas-quartiers de Rio
Le monde est pour chaque habitant
Peur, saleté, misère et boue
Voir cela est désespérant

25 Faut-il toujours aller si loin
Chercher d'aussi tristes spectacles ?
À Paris, Bruxelles ou Saint-Ouen
J'assiste à la même débâcle

Je n'aime pas beaucoup l'odeur
30 Du siècle moisi dont j'hérite
Il sent la mort et la terreur
Il est trop lent ou va trop vite

Enfant des années à venir
Essaye d'être un peu plus sage
35 Que nous ne l'étions avant toi
Oublie la colère et la rage

Avec tous les ordinateurs
Et leurs écrans bleus de contrôle
Peut-être dénicheras-tu
40 Des réponses à ces questions-là :

Pourquoi tant de sauvagerie
Dans un monde aussi policé ?
Pourquoi ces misères criantes
Dans un monde aussi équipé ?

45 Héritier d'un siècle cruel
    Je vous lègue, enfants, mes révoltes :
    De simples mots sur du papier
    Mais ils sont ma seule récolte.

Inédit. Le Cherche-Midi Éditeur.

Arrêt
sur
lecture 5

L'époque contemporaine, qui s'étend de la fin de la Seconde Guerre mondiale à la période où nous vivons, est marquée par de profondes transformations de la société et des mentalités. L'Europe dévastée par le conflit entend rompre avec le passé. Après six années de privations, de douleurs et de chaos, les hommes recouvrent une liberté qui les pousse à prendre position dans un monde en pleine reconstruction. S'affirment alors, à l'échelle planétaire, un refus de la guerre, un rejet du colonialisme et la volonté de préparer au mieux les dernières décennies du siècle.

Le refus de la guerre

Au cours de la Seconde Guerre mondiale, le petit monde des écrivains s'est montré aussi divisé que pouvait l'être la société française. Tandis que les uns s'engageaient dans la Résistance, d'autres – minoritaires – choisissaient clairement de collaborer avec l'ennemi. À la Libération, ces derniers se voient contraints de rendre des comptes. Robert Brasillach est fusillé ; Pierre Drieu La Rochelle se suicide ; d'autres choisissent librement l'exil. S'élève alors un vaste mouvement de protestations contre la guerre.

À l'heure du bilan

Les mois qui suivent l'achèvement de la Seconde Guerre mondiale sont l'occasion de dresser un bilan – humain, politique, économique et moral – du conflit. Avec ses 40 ou 50 millions de morts, la guerre de 1939-1945 se présente d'abord comme la plus meurtrière de l'histoire de l'humanité. Les Occidentaux découvrent avec horreur les transferts de population, les camps d'extermination nazis, l'état apocalyptique des villes martyres que furent Hiroshima et Nagasaki, les sites industriels bombardés, l'économie dévastée, les risques d'épidémies, de famine et de guerres civiles. Comme ses pays voisins, la France est au bord du chaos. Des voix se font alors entendre qui condamnent sans appel l'ignominieuse réalité de la guerre. Parmi elles, celle de Jacques Prévert, poète facétieux, provocateur et fraternel, dont le cri de révolte sera entendu par des milliers de gens :

> **Oh Barbara**
> **Quelle connerie la guerre** (p. 156).

Le succès populaire de ce poème, chanté par les Frères Jacques, Cora Vaucaire, Mouloudji ou Serge Reggiani, témoigne de la douleur des hommes et des femmes qui vécurent, pendant six années de guerre, sous une « pluie de fer, de feu, d'acier, de sang ». Comme celle de Guillevic (p. 154), de Claude Roy (p. 157), d'Alain Bosquet (p. 152) ou de Boris Vian (p. 159), la poésie de Jacques Prévert en appelle à une seconde libération : celle des forces saines de la vieille Europe, monde en miettes qu'il convient de reconstruire autrement, pour que jamais ne réapparaisse le visage de l'horreur.

> Il ne s'agit plus de comprendre le monde
> Il faut le transformer
>
> Claude Roy, « Jamais je ne pourrai… » (p. 158)

Sur les chemins de la liberté

Dans l'immédiat après-guerre, un petit groupe d'artistes, d'écrivains et d'intellectuels fréquentant le Café de Flore et le quartier de Saint-Germain-des-Prés à Paris participent à ce vaste mouvement de libération. Parmi eux, le philosophe et romancier Jean-Paul Sartre – auteur d'un cycle romanesque au titre évocateur, *Les Chemins de la liberté* –, la chanteuse Juliette Gréco, l'écrivain Raymond Queneau, ou Boris Vian, poète et trompettiste de talent qui marquera les années 1950 de sa fantaisie créatrice.

Ses poèmes et ses chansons (p. 159) ne témoignent pas seulement des angoisses d'une époque hantée par le souvenir de la guerre : par leur anarchisme, ils en appellent aussi au refus de la soumission, de la morale bourgeoise et du conformisme. L'une de ses chansons, intitulée « Le Déserteur » (p. 159), suscite de vives réactions à la veille de la guerre d'Algérie. Interdite sur les ondes, elle devient le symbole de l'antimilitarisme et de la liberté de penser. Comme Jacques Prévert ou Louis Calaferte, Boris Vian écrit moins qu'il ne crie. Son désir de vivre et d'aimer la vie exulte dans la plaquette posthume qui rassemble ses ultimes poèmes, parus trois ans après sa mort, en 1962 : *Je voudrais pas crever*.

On l'aura compris : une même aspiration à la paix, au bonheur et à la liberté émane des poèmes écrits après la Seconde Guerre mondiale. Qu'ils soient l'œuvre d'anciens résistants, d'étudiants contestataires de Mai 68 ou d'écrivains noirs de langue française, tous semblent reprendre, à leur manière, cette devise du poète Pierre Emmanuel, formulée l'année même de la Libération : « La liberté guide nos pas. »

à vous...

1 – **Quelle vision du xxᵉ siècle le poème d'Alain Bosquet intitulé «Raconte-moi le passé... » (p. 152) propose-t-il ?**
– Comment comprenez-vous les deux derniers vers de ce texte ?

2 – **«Morbihan» de Guillevic (p. 154) fait partie de la dernière section de *Sphère* nommée «Chanson». En quoi ce texte s'apparente-t-il précisément à un chant ?**

3 – **«Le poète dit J'y suis pour tout le monde», écrit Claude Roy dans le texte intitulé «Jamais je ne pourrai» (p. 157). En prenant appui sur des exemples précis, dites comment vous comprenez cette expression.**

Le refus du colonialisme

Les textes rassemblés dans cette anthologie sous le titre « Le refus du colonialisme » (p. 163 à 173) font partie de ce que l'on nomme la « poésie noire d'expression française ». Qu'ils soient issus des pays d'Afrique francophone (Côte d'Ivoire ou Sénégal par exemple), des Antilles ou de la Guyane, tous sont animés par une même volonté de défendre l'identité du peuple noir.

L'émergence de la « négritude »

La littérature noire d'expression française n'est pas née avec la découverte, par un large public, des œuvres poétiques d'Aimé Césaire ou de Léopold Sédar Senghor puisque Blaise Cendrars (voir p. 51) fit paraître, en son temps, une *Anthologie nègre* (1921) et un recueil de légendes intitulé *Petits contes nègres pour les enfants des Blancs* (1928). Comme la vogue grandissante du jazz ou l'influence qu'exerce la statuaire nègre dans l'art du peintre Pablo Picasso, ces œuvres témoignent de l'engouement que suscitent les cultures d'outre-mer.

L'émergence de la « négritude », vaste mouvement de revendication identitaire, dépend cependant moins de cet engouement artistique que de la rencontre de quelques étudiants de couleur dans le Paris des années trente. En 1934, Léon-Gontran Damas, d'origine guyanaise, Aimé Césaire, né à la Martinique, et le Sénégalais Léopold Sédar Senghor donnent naissance à *L'Étudiant noir*, journal destiné à tous les jeunes gens de couleur qui aspirent à la reconnaissance d'une identité noire. En dépit de leurs différences, Antillais, Africains, Haïtiens ou Guyanais se rassemblent autour d'un concept qui en appelle à la prise de conscience de la communauté internationale : la « négritude », mouvement de pensée engagé dans la défense du patrimoine culturel de la civilisation négro-africaine, idéologie vouée à l'émancipation heureuse du peuple noir. De cet engagement naîtront de belles et grandes œuvres poétiques.

La lutte contre les discriminations

Les ouvrages que publient Aimé Césaire et Léopold Sédar Senghor à partir de 1945 ne sont pas seulement marqués par le souhait de promouvoir la culture du peuple noir. Au-delà des références à l'Afrique, que le poète antillais ne connaît pas encore à

Les Chaînes brisées,
de Pierre-Marie Valat,
illustration originale
pour la couverture
de *Esclaves
et négriers*,
Découvertes
Gallimard, 1998.

l'heure où paraît le *Cahier d'un retour au pays natal* (1947), s'affirme la volonté de lutter contre la suprématie colonialiste des Occidentaux. Poète au tempérament volcanique, Aimé Césaire dénonce l'état de dégradation dans lequel se trouvent « les Antilles qui ont faim, les Antilles grêlées de petite vérole, les Antilles dynamitées d'alcool, échouées dans la boue ». Comme Léon-Gontran Damas (p. 165), l'auteur du *Cahier* s'en prend aux clichés humiliants par lesquels les Blancs désignent le « nègre comique et laid », paresseux et grotesque, que l'on maintient dans un état de total asservissement. La « négritude » qu'il revendique passe par une condamnation sans appel de l'esclavage, du colonialisme et de toute forme de discriminations raciales.

Marqués par l'expérience de la guerre, Aimé Césaire, David Diop ou Léopold Sédar Senghor rendent également hommage au « sang noir » répandu sur les champs de bataille : « tirailleurs sénégalais » ou fantassins antillais, enrôlés dans l'armée française, sacrifiés dans la lutte contre le nazisme, « ténébreusement allongés sur la terre de France ». Il n'est pas jusqu'au récent groupe de rap TSN (Tout Simplement Noir) qui ne se souvienne de cet épisode peu glorieux du colonialisme à la française :

> durant la Deuxième Guerre mondiale, des tas de Noirs
> sont tombés pour la France
> maintenant on leur crache dessus en signe de reconnaissance

L'expression poétique

La poésie, dont le rap est l'une des formes les plus contemporaines, fut le premier moyen d'expression des intellectuels désireux de faire connaître la culture et l'identité noires. Vinrent d'abord les recueils de Léon-Gontran Damas (*Pigments*, en 1937), d'Aimé Césaire *(Les Armes miraculeuses* en 1946) et de Léopold Sédar Senghor (*Chants d'ombre* en 1945, *Hosties noires* en 1948). Verront ensuite le jour des anthologies de la poésie noire et une maison d'édition qui sera à l'origine du Premier Congrès international des écrivains et des artistes noirs, en 1956 : Présence Africaine.

L'originalité de cette poésie francophone réside en grande partie dans le métissage culturel qu'elle pratique. Dans la postface d'*Éthiopiques*, recueil paru en 1956, Léopold Sédar Senghor explique qu'il entend « ouvrir la voie à une authentique poésie nègre, qui ne renonce pas, pour autant, à être française ». Comme le chef de file de la poésie sénégalaise, bien des poètes associent par exemple le paganisme africain aux références de la culture judéo-chrétienne. Recourant au verset*, dont l'ampleur et les rythmes rappellent les chants de l'Afrique ancestrale, ces derniers confèrent également une dimension musicale à l'écriture poétique. À partir des années cinquante, l'auteur d'*Éthiopiques* indiquera d'ailleurs quels instruments devront accompagner ses textes. Tel poème sera écrit « pour trois kôras et un balafong », tel autre pour « tam-tams de guerre ». Selon lui, le poème ne s'accomplit « que s'il se fait chant, parole et musique en même temps ».

Le rappeur d'origine sénégalaise MC Solaar, né à Dakar en 1969, ne contesterait sans doute pas ce propos.

à vous...

4 – En quoi le texte du groupe de rap TSN intitulé « Le Peuple noir » (p. 171) s'apparente-t-il à une chanson ?

5 – Quelles similitudes thématiques et formelles relevez-vous entre ce texte et ceux qui le précèdent (p. 163 à 171) ?

6 – En vous appuyant sur des exemples empruntés à l'Histoire, à vos lectures ou à votre expérience personnelle, commentez les vers qui servent de refrain à la chanson de TSN.

Dans le monde aujourd'hui

« À cette heure dans le monde
Il y a peut-être une petite fille qui cueille des fleurs
Sur le bord de la voie dans un pays meilleur »

Ces vers du poète lyrique* René-Guy Cadou (1920-1951), qui sut mieux que quiconque chanter le souvenir ému de l'enfance et la beauté du monde, nous invitent à imaginer ce que vivent nos contemporains au-delà des frontières. « À cette heure dans le monde », d'autres hommes luttent pour la liberté, l'espérance et la dignité. En témoignent les poètes rassemblés dans la dernière partie de cette anthologie (p. 174 à 192). Leurs chants sont de ceux qui peuvent aider à tourner la longue page du xxe siècle.

Ces silences qui assassinent...

« Il y a des centaines de silences qui assassinent pendant des siècles et des siècles », écrit le chanteur d'origine belge Julos Beaucarne. La principale fonction du poète engagé est, on le sait, de déchirer le voile de ces silences, innocents ou complices, pour qu'apparaisse au grand jour le visage souvent hideux de la vérité. Le poème que Ludovic Janvier intitula « Du nouveau sous les ponts » (p. 184) relate ainsi un événement de l'histoire récente honteusement passé sous silence : le matraquage tragique, dans les rues de Paris, de plusieurs centaines de manifestants algériens venus réclamer la levée du couvre-feu, le 17 octobre 1961. La poésie inquiète et virulente d'Andrée Chedid (p. 180) évoque les souffrances du peuple libanais. Celle de Jean Orizet (p. 190) se fait l'écho de drames entrevus sur les routes du monde : enfant du Cambodge ou d'Afghanistan « au pied broyé sur une mine » ; jeunes Palestiniens affrontant « les fusils des soldats » à deux pas de Bethléem ; Africains mourant de faim ; mendiants « sans mains » des trottoirs de Calcutta. Longue serait la liste de ceux qui sont aujourd'hui privés de pain, de dignité, d'espérance et d'avenir.

Paroles semées contre silence, la poésie permet de ne pas oublier le nom de ceux qui furent broyés par les mouvements iniques de la barbarie. Parmi eux, Victor Jara, Lounès Matoub, Jean Sénac et Tahar Djaout, dont les noms sont scandés dans les dernières pages de cette anthologie.

La chanson que Julos Beaucarne intitula « Lettre à Kissinger » (p. 174) évoque le sort fait au guitariste chilien Victor Jara, exécuté en septembre 1973 dans un stade empli de prisonniers politiques. En adressant ce texte à Henry Kissinger, alors secrétaire d'État du gouvernement nord-américain de Richard Nixon, Julos Beaucarne refuse de passer sous silence l'une des causes de la mort de son ami : l'aide apportée par les États-Unis au régime militaire du général Pinochet, aujourd'hui convaincu de crimes contre l'humanité.

La seconde chanson de Julos Beaucarne (p. 176) et l'émouvant poème de Tristan Cabral (p. 178) nous invitent à prendre conscience du drame qui déchire aujourd'hui l'Algérie. Le premier de ces textes rend hommage à Lounès Matoub, chantre de la culture berbère assassiné le 25 juin 1998. Le second associe, en un même élan de fraternité, les destins tragiques du poète Jean Sénac, mystérieusement exécuté le 30 avril 1973, et de Tahar Djaout, journaliste fauché à Alger le 26 mai 1993, pour s'être fait le défenseur de la liberté d'expression :

> hier c'était Sénac
> aujourd'hui c'est Djaout
> assassinés chez eux par les mêmes tueurs

pour avoir cru ensemble à une même Terre
de toutes les douleurs...

Le combat de la différence

Ces textes récemment publiés présentent la particularité de poursuivre, selon les propos de Julos Beaucarne, « le combat des minorités, le combat de la différence ». À cet égard, le lecteur attentif aura sans doute remarqué que le chanteur belge se réfère aux populations engagées dans une lutte pour la sauvegarde de leur identité linguistique. Lounès Matoub incarne la défense du tamazight, langue berbère menacée par la suprématie de l'arabe, comme d'autres incarnent la défense du wallon, dialecte parlé dans le sud de la Belgique.

Cette lutte contre l'uniformisation mondiale est également perceptible dans les textes de Félix Leclerc (p. 186) et Gaston Miron (p. 188), poètes engagés dans la défense et l'illustration de l'identité québécoise. Auteur, compositeur et interprète, considéré comme le pionnier de la chanson canadienne de langue française, Félix Leclerc s'élève contre l'envahissante progression de la culture anglophone. L'alouette que célèbre l'hymne québécois est « en colère » parce que les hommes et les femmes qui la chantent ont une « langue maternelle qu'on ne reconnaît pas ».

L'œuvre poétique de Gaston Miron, fondateur d'une maison d'édition fortement engagée dans la défense de la poésie québécoise, est placée sous le double signe du refus et de l'amour : refus de « l'aliénation délirante » à la culture nord-américaine ; amour de la « Terre de Québec », dont il ne cesse de réclamer, telle une aube nouvelle, l'indépendance politique. « L'homme rapaillé » que désigne le titre du recueil de Gaston Miron est, au sens où l'entend la langue populaire québécoise, un être *ras-*

semblé, réuni, retrouvé. Aux divisions qu'implique le bilinguisme canadien répond l'unité de la parole poétique.

> Compagnon des Amériques
> Mon Québec ma terre amère ma terre amande
> ma patrie d'haleine dans la touffe des vents
> j'ai de toi la difficile et poignante présence

L'espoir des lendemains qui chantent

Les textes de Julos Beaucarne, Gaston Miron, Nâzim Hikmet ou Jean Orizet rassemblés ici ne disent pas seulement les déchirures de l'histoire et la peur du lendemain. À l'évocation de la barbarie répond une volonté de garder foi en l'humaine condition. « La grande humanité », dont parle avec tendresse le poète turc Nâzim Hikmet (p. 181), n'est pas faite d'assassins, de bourreaux, d'hommes xénophobes ou de maîtres iniques. La grande humanité chemine sur les routes du monde sans jamais cesser de croire en l'avenir. Elle travaille, donne la vie, forge le monde de demain :

> [...] elle a son espoir la grande humanité
> On ne peut vivre sans espoir.

Sous sa forme dialoguée, le second poème de Nâzim Hikmet intitulé « Le Vingtième Siècle » (p. 182) ne dit pas autre chose. Le poète engagé dans les combats de son temps n'est pas de ceux qui aimeraient, comme le suggère la voix bien-aimée, dormir « cent ans » pour échapper aux incertitudes de l'avenir. Fier de vivre, à la fin du second millénaire, ce partage de la douleur et de la joie que suppose toute fraternité, le poète est de ceux qui osent croire en des jours meilleurs. Pour terrible qu'elle fut, la nuit du siècle s'achèvera « dans des clameurs d'aurore ».

Comme les yeux de la femme aimée, ses derniers jours seront
« plein[s] de soleil ».

Cette embellie n'est envisageable que si les hommes aspirent
à préserver la paix. Telle est la leçon que le poète contemporain
Jean Orizet nous invite à tirer du « siècle épuisé » dont chacun
d'entre nous doit désormais faire fructifier l'héritage. En ce
domaine, comme en tout autre, le monde de demain sera placé
entre les mains des enfants d'aujourd'hui :

> Enfant des années à venir
> Essaye d'être un peu plus sage
> Que nous ne l'étions avant toi
> Oublie la colère et la rage

à vous...

7 – En vous aidant du paratexte *, dites où et quand fut écrit
le texte de Tristan Cabral (p. 178). Pourquoi peut-on parler
d'un poème de circonstance ?

8 – À quel type de phrase Andrée Chedid a-t-elle fréquemment recours dans le poème intitulé « Dépecez l'espérance » (p. 180) ? À qui ces phrases s'adressent-elles ?

9 – Dans le poème « Du nouveau sous les ponts » (p. 184),
Ludovic Janvier rapporte un événement tragique de l'histoire récente. Quel est cet événement ? Où et quand s'est-il
produit ? Quels en furent les principaux protagonistes ?

10 – Rédigez, comme l'a fait Jean Orizet, un poème dans
lequel vous direz adieu au siècle qui vous a vu naître.

Bilans

_- Apprendre les mots et
expressions clés
e.g. " ce procédé d'insistance"_

Les Arrêts sur lecture qui accompagnent les différentes parties de cette anthologie ont montré, exemples à l'appui, que la poésie engagée était avant tout une _poésie de circonstances,_ vouée à des destinataires particuliers. Cette idée, largement défendue par des poètes comme Louis Aragon ou Jean Wahl (voir p. 138), implique d'abord que soient prises en compte les conditions personnelles ou historiques dans lesquelles furent rédigés les textes. Elle suppose aussi que l'on s'intéresse à la relation que l'auteur établit avec son destinataire.

Étudier un poème engagé, ce n'est donc pas seulement observer un message, interpréter un énoncé. Étudier un poème engagé, c'est – ainsi que le suggère le schéma suivant – prendre en compte l'ensemble d'une situation de communication en analysant à la fois le texte, son énonciation et sa réception :

ÉNONCIATION $\longrightarrow$ MESSAGE $\longrightarrow$ RÉCEPTION

La situation d'énonciation

Les programmes de français pour la classe de Troisième et les manuels scolaires définissent _l'énoncé_ et _l'énonciation_ * comme « le produit et l'acte de production » d'un fait de langage. Qu'il s'agisse d'une simple phrase, d'une lettre, d'un poème ou ᴜ roman, l'**énoncé** est le résultat, le produit écrit ou oral, de l'**énonciation**, acte individuel de mise en œuvre du langage par un sujet doué de parole.

Une prise en compte du contexte

À ce stade de la réflexion, le lecteur fera peut-être remarquer qu'il n'est pas indispensable de connaître la situation d'énonciation d'une œuvre pour en apprécier la beauté, la richesse et la signification. Certes, il est toujours possible d'aimer un poème de Victor Hugo, de René Char, d'Ossip Mandelstam, d'Aimé Césaire ou de Nâzim Hikmet sans rien savoir des conditions dans lesquelles il fut écrit, sans rien connaître de son auteur.

Mais reconnaissons qu'il est souvent utile de savoir qui parle et à qui on s'adresse, quelles furent les circonstances de rédaction des textes, quel fut leur mode de diffusion. Peut-on prendre la pleine dimension du *Cahier d'un retour au pays natal* (p. 163) sans savoir qu'Aimé Césaire, lointain descendant des esclaves que les négriers vendaient aux Antilles, connut les souffrances du peuple noir et l'âpreté des luttes anticoloniales ? Peut-on véritablement comprendre l'attachement de Nâzim Hikmet pour la justice et la liberté si l'on ignore qu'il passa une partie de son existence dans les prisons turques ? L'écriture fragmentaire des *Feuillets d'Hypnos*, rédigés entre 1943 et 1944, ne s'explique-t-elle pas par les conditions de rédaction des notes que prenait René Char, alors responsable d'un réseau de résistants des Basses-Alpes ? Par son caractère lapidaire, incisif et tranchant, le fragment souligne la violence dans laquelle s'est enfermé le monde en guerre. La poésie déchiquetée de René Char témoigne des déchirures de l'Histoire :

> La lucidité est la blessure la plus rapprochée du soleil.

Des énoncés ancrés dans l'énonciation

Bien des poèmes engagés présents dans cette anthologie sont porteurs des marques de leur énonciation*. Les unes apparaissent clairement dans le paratexte* ; d'autres, plus subtiles, affleurent dans le tissu du texte. Dans l'un et l'autre cas, un relevé d'indices est souvent nécessaire à la compréhension du message.

Les indications du paratexte – Il arrive que le paratexte fasse entrevoir au lecteur une partie du contexte énonciatif. Ainsi en va-t-il des notes qui accompagnent le poème que Pierre Emmanuel intitula « Les Dents serrées » (p. 128) : « *Texte publié sous le pseudonyme de Jean Amyot le 14 juillet 1943 dans* L'Honneur des poètes, *Éditions de Minuit clandestines.* » Le pseudonyme (« Jean Amyot »), la date (« 14 juillet 1943 ») et les références éditoriales (« Éditions de Minuit clandestines ») laissent clairement entendre que ce texte fut écrit et publié dans la clandestinité pendant la Résistance. Des éléments paratextuels de nature similaire permettent de situer le lieu et le moment de rédaction du poème d'André Verdet, poète déporté au cours de la Seconde Guerre mondiale : « Tu me disais » (p. 135) fut composé dans le camp de Buchenwald, entre le « 15 mai 1944 » et le « 17 mai 1945 ».

Les indices dans le texte – Une observation attentive des textes proprement dits peut également permettre d'identifier la situation d'énonciation. Certains adverbes de temps et de lieu (hier, maintenant, demain ; ici, là) font référence aux circonstances spatio-temporelles dont dépend la production du message. L'hommage poétique que Tristan Cabral rend à Jean Sénac et Tahar Djaout (p. 178) s'inscrit ainsi précisément dans le temps de la douleur, le poète rédigeant son texte « le 17 juin 1993 », au lendemain de la disparition du journaliste tué à l'arme blanche :

> hier c'était Sénac
> aujourd'hui c'est Djaout
> assassinés chez eux par les mêmes tueurs
> sur cette même Terre de toutes les splendeurs…
> assassinés chez eux en des temps différents
> et semblables pourtant…

L'emploi du pronom personnel sujet « je », fréquent dans la poésie engagée, souligne enfin de quelle manière le poète s'implique dans l'énoncé. Le poème de Marianne Cohn intitulé « Je trahirai demain » (p. 117) renvoie ainsi, de façon très explicite, à la situation vécue par la jeune femme juive, incarcérée dans les locaux de la Gestapo pour avoir voulu sauver de la mort un groupe d'enfants. Par l'emploi réitéré des pronoms et des adjectifs possessifs de la première personne, l'énonciatrice s'engage envers et contre l'ignominieuse présence des bourreaux :

> Je trahirai demain, pas aujourd'hui.
> Aujourd'hui, arrachez-moi les ongles,
> Je ne trahirai pas.
> Vous ne savez pas le bout de mon courage.
> Moi je sais.

Comme ceux de René Char, de Jean Cassou, de Pierre Emmanuel ou d'André Verdet, cet énoncé est ancré dans la situation d'énonciation*. Le poète y affirme sa présence ; son impact est marqué dans le tissu du texte.

Les caractéristiques de l'énoncé

Un lecteur attentif aura remarqué que bien des poèmes rassemblés ici présentent des similitudes stylistiques et formelles. Le message engagé que chaque texte a vocation de transmettre s'incarne généralement dans une rhétorique* simple, efficace, facilement mémorisable.

Des procédés d'insistance

Une observation de la versification et de la structure des textes fait clairement apparaître la place prise, dans la poésie engagée, par les anaphores*, les répétitions ou les figures d'insistance.

La redondance – L'implication de l'énonciateur dans le texte passe, par exemple, par l'emploi de la redondance* « moi je », redoublement expressif de l'affirmation identitaire. Arthur Rimbaud, Marianne Cohn ou Félix Leclerc y recourent, dans des contextes différents, pour suggérer la manière dont le locuteur s'oppose à autrui. « <u>Moi, je</u> suis, débraillé comme un étudiant », affirme l'adolescent rebelle que tout oppose aux bourgeois, conformistes et pansus, de Charleville (« À la musique », p. 27). « Vous ne savez pas le bout de mon courage. <u>Moi je</u> sais », dit la jeune Marianne Cohn aux tortionnaires qui l'assassineront en 1944 (« Je trahirai demain », p. 117). « Mon fils est en prison et <u>moi je</u> sens en moi [...] s'installer la colère », s'insurge le chanteur engagé dans la défense de l'identité québécoise (« L'Alouette en colère », p. 186).

L'anaphore – De nombreux poèmes sont également rythmés par ce procédé d'insistance que sont les anaphores. Les sept strophes qui composent le poème de Jean Tardieu intitulé « Oradour » (p. 133) sont scandées par les multiples occurrences (18 au total) du nom du village martyr : Oradour-sur-Glane. « Strophes pour se souvenir » et « Le Musée Grévin » de Louis Aragon (p. 103 et 106), « Liberté » et « Couvre-feu » de Paul Eluard (p. 122 et 125), « J'accuse » de Jean Cayrol (p. 110), « Tu me disais » d'André Verdet (p. 135) présentent les mêmes particularités rythmiques. Il n'est pas jusqu'au texte de Louis Calaferte (p. 153) qui n'exprime, par ses anaphores, la colère d'un homme en guerre contre l'injustice, la bêtise et la barbarie :

> Vous avez laissé faire un monde de corruption.
> Vous avez laissé faire un monde de mensonge.
> Vous avez laissé faire un monde de lâcheté.
> Vous avez laissé faire un monde d'ignorance.

Une écriture musicale

Anaphores et répétitions donnent à ces poèmes engagés une dimension incantatoire, proche de l'oralité et de la chanson.

Les sonorités – Le travail sur les rythmes s'accompagne souvent de jeux de sonorités qui confèrent une fluidité toute musicale à l'écriture poétique. En témoigne, par exemple, le poème de Paul Eluard intitulé « Couvre-feu » (p. 125) : les huit décasyllabes* qui le composent s'achèvent sur une rime unique (gardée / enfermés / barrée / désarmés / aimés, etc.) qui assure son unité mélodique. Des procédés relativement similaires sont employés dans le poème que Guillevic nomme « Morbihan » (p. 154) : rimes, assonances* et allitérations* justifient l'appartenance de ce texte à la section du recueil intitulée « Chansons » :

> Ce qui fut fait à ceux des **miens,**
> Qui fut exigé de leurs **mains,**
> Du dos cassé, des **reins** vrillés

Des poèmes pour être chantés – De multiples textes de l'anthologie ont d'ailleurs été composés pour être mis en musique et chantés. Les uns sont l'œuvre de musiciens ou de chanteurs francophones dont le talent n'est plus à démontrer : Boris Vian (p. 159), Julos Beaucarne (p. 174), Félix Leclerc (p. 186) ou le récent groupe de rap issu du milieu *underground* parisien TSN (p. 171). Les jeux de sonorités, les retours rythmiques ou l'alternance de couplets et de refrains contribuent à la musicalité de leurs textes. D'autres poèmes s'apparentent à la chanson par leurs rythmes, leurs implications stylistiques ou leur dimension oratoire. C'est le cas des textes de Verlaine (p. 28), d'Aragon (p. 102), du célèbre « Barbara » de Prévert (p. 155) ou de la « Chanson » que Victor Hugo voue à la satire de Napoléon III (p. 16).

Faut-il s'étonner que la plupart de ces textes aient fait l'objet d'adaptations musicales ? Léo Ferré, Jean Ferrat, Marc Ogeret ou Bernard Lavilliers chantèrent Aragon ; Serge Reggiani et Yves Montand entonnèrent les poèmes de Prévert ; Georges Brassens interpréta Jean Richepin ; Môrice Bénin prêta sa voix à René-Guy Cadou. À chaque adaptation nouvelle, la même émotion, les mêmes élans de colère et de tendresse, les mêmes résonances partagées : la voix humaine est à la poésie ce que l'archet est au violon.

La prise en compte du destinataire

Les textes présentés dans les pages qui précèdent ne sont pas de ceux que l'on écrit pour soi, comme un carnet de bord ou un journal intime. Les allusions à la vie personnelle, les anecdotes autobiographiques, la présence même du pronom personnel sujet « je » ne doivent pas faire oublier qu'un poème engagé s'adresse d'abord à autrui. Le poète est moins un héros qui se met lui-même en scène, qu'un héraut, porte-parole ou messager, offrant une voix aux hommes que l'oppression, l'injustice et la guerre condamnent au silence.

Les marques de la présence du destinataire
L'expression de cette solidarité passe par la prise en compte du destinataire et la communication qui s'instaure avec lui.

Un destinataire explicite – On constate d'abord qu'une multitude de textes s'adressent explicitement à autrui. Les uns prennent la forme de l'écriture épistolaire – ainsi qu'en témoignent les « Poèmes à Lou » d'Apollinaire (p. 46), « Soir tendre » de Marcel Rivier, soldat tué lors de la Première Guerre mondiale (p. 57), « Le Déserteur » de Boris Vian (p. 159) ou la chanson que Julos Beaucarne intitula « Lettre à Kissinger » (p. 174). D'autres s'apparentent à un dialogue entre deux êtres, ainsi que le suggère la situation d'interlocution mise en œuvre dans les textes d'Alain Bosquet (« Raconte-moi le passé », p. 152) ou de Nâzim Hikmet (« Le Vingtième Siècle », p. 182).

Le nom proclamé – La place faite à autrui dans la poésie engagée est nettement perceptible dans les textes qui portent les marques de présence du destinataire. À l'image du poème que Julos Beaucarne adresse au chanteur berbère Lounès Matoub (p. 176), certains textes invoquent un être, proche ou lointain, vivant ou mort, dont le nom doit échapper à l'oubli. D'autres s'adressent à un groupe d'hommes et de femmes nommément désignés : « tirailleurs sénégalais » du poème de Léopold Sédar Senghor (p. 168) ; « fouilleurs de poubelles » que salue Véronique Tadjo (p. 170) ; frères « sans avenir » des exhortations poétiques d'Andrée Chedid (p. 180) ; enfants de tous les horizons auxquels s'adresse Jean Orizet (p. 190).

En dépit de leurs différences, tous ces textes instaurent une forme de communication. L'apostrophe, le tutoiement, la présence des pronoms de la deuxième personne (*tu* ou *vous*) en soulignent la dimension altruiste.

La visée du discours poétique

Nous avons montré, au seuil de cet ouvrage (« Ouvertures », p. 8), que les poètes engagés ne sont pas de ceux qui parlent pour ne rien dire. Encore faut-il parvenir à cerner, au plus juste, la visée du discours poétique.

Se souvenir – Le titre d'un poème de Louis Aragon, devenu avec le temps l'une des œuvres emblématiques de la Résistance, peut permettre de définir en termes simples l'une des raisons d'être de la poésie engagée : les textes rassemblés dans cette anthologie sont autant de « Strophes pour se souvenir ». Il suffit pour s'en convaincre d'observer la manière dont Victor Hugo dénonça les exactions de Napoléon III (p. 16 à 20) ; d'écouter les voix qui s'élevèrent contre le franquisme (p. 80 à 89) ; d'entendre les revendications égalitaires du peuple noir (p. 163 à 173) ; de prononcer, avec Ludovic Janvier, les noms d'Ahcène Boulanouar ou Bachir Aidouni, Algériens ignoblement « jeté[s] à l'eau […] sans connaissance », le 17 octobre 1961 (p. 184) ; de prêter attention aux poèmes qu'André Verdet, Marianne Cohn ou Primo Levi écrivirent aux heures les plus sombres de notre histoire. La supplique que ce dernier adresse aux lecteurs que nous sommes est sans équivoque :

> N'oubliez pas que cela fut,
> Non, ne l'oubliez pas :
> Gravez ces mots dans votre cœur.

Changer le cours des choses – La volonté de lutter contre le silence et l'oubli est subordonnée à un autre impératif : celui d'exhorter autrui à l'action et de changer l'ordre des choses. Le texte de Claude Roy intitulé « Jamais je ne pourrai » (p. 157) révèle clairement la fonction que le poète assigne à l'engagement :

> Il ne s'agit plus de comprendre le monde
> Il faut le transformer

Cette détermination, qui reprend à sa manière l'un des mots d'ordre d'Arthur Rimbaud (« Il faut changer la vie ! »), explique que bien des poètes se soient engagés dans l'action politique et le combat pour la liberté. Victor Hugo fit entendre ses positions contre la peine de mort à la tribune de l'Assemblée nationale. Eugène Pottier, auteur de *L'Internationale*, participa à la Commune de Paris et devint député. Blaise Cendrars s'engagea dans la Légion pour défendre la France avant d'être grièvement blessé. Pierre Seghers, René Char et Jean Wahl connurent les affres de la Résistance et de la clandestinité. Aimé Césaire et Léopold Sédar Senghor eurent des responsabilités politiques de premier ordre. Nâzim Hikmet fut condamné à mort par les autorités de son pays pour s'être fait le chantre de la liberté : cette condamnation, commuée en une peine de trente-cinq ans de prison, les grèves de la faim et l'ultime épreuve de l'exil firent de lui le symbole d'une lutte poussée aux limites de la résistance humaine.

Est-il besoin d'autres exemples pour comprendre que la poésie engagée va au-delà du témoignage ? Pour futiles qu'ils puissent parfois paraître, les mots ont pris le monde en réparation. Nâzim Hikmet et ses frères poètes ont écrit – écrivent encore – pour que « la nuit terrible » du XXᵉ siècle « se termine dans des clameurs d'aurore ».

À nous, hommes, femmes et enfants du troisième millénaire, d'incarner leur message de paix.

Annexes

De vous à nous

Arrêt sur lecture 1

Page 35

1 – Trois poèmes de Victor Hugo extraits des *Châtiments* font explicitement référence à Napoléon III : « Nox » (p. 16), « Souvenir de la nuit du 4 » (p. 17) et « Chanson » (p. 18). Ce personnage historique y est l'objet d'une présentation fortement dépréciative :

– la vieille femme, dont le poète rapporte les paroles dans « Souvenir de la nuit du 4 », passe d'une protestation désespérée à une accusation sans équivoque : « monsieur Bonaparte » est responsable de la mort de « [son] enfant » ;

– « Nox » et la « Chanson » proposent une même évocation satirique du tyran : par l'emploi du terme « nain » (p. 16) et de l'anaphore « Petit, petit » (p. 18), Victor Hugo suggère la bassesse morale de celui qu'il nomma, du titre d'un de ses pamphlets, « Napoléon le Petit ». En recourant au champ lexical de l'usurpation (« je me sers », « j'en prends », p. 17 ; « Voici de l'or, viens, pille et vole », p. 18), Victor Hugo laisse entendre que Louis-Napoléon Bonaparte est un imposteur, cupide et sans vergogne.

2 – Le poème intitulé « Souvenir de la nuit du 4 » (p. 17) rend hommage à l'enfant tué lors des émeutes qui suivirent le coup d'État de décembre 1851. Divers procédés contribuent à suggérer le caractère pathétique de la veillée mortuaire.

– Le texte laisse entendre deux voix : celle du poète, qui fut le témoin du drame, et celle de la vieille femme désespérée par la mort de l'enfant qu'elle aimait.

– Le recours au discours direct, l'emploi d'interjections, de phrases exclamatives ou d'énoncés porteurs de marques d'oralité (« ils m'ont tué ce pauvre petit être ») contribuent à l'expression simple et poignante de la douleur.

Page 40

4 – « À la musique » (p. 27) est composé de deux parties nettement distinctes.

– Les cinq premiers quatrains* (v. 1 à 20) décrivent les bourgeois qui paradent le jeudi soir, « place de la gare, à Charleville ». Apparences physiques et comportements sont l'objet d'une évocation fortement caricaturale.

– Les quatre dernières strophes (v. 21 à 26) sont consacrées aux jeunes gens et aux marginaux qui s'enivrent de sensualité. Le poète, dont la figure solitaire domine les derniers quatrains, se présente comme l'antithèse* des bourgeois.

5 – Ce poème de Verlaine est composé de quatre quatrains d'octosyllabes. Les trois premiers quatrains narrent les étapes d'une existence malheureuse : l'enfance (v. 1 à 4), la jeunesse (v. 5 à 8) et l'âge d'homme (v. 9 à 12). Par ses interrogations et son ultime supplique, la dernière strophe (v. 13 à 16) dresse le bilan des échecs successivement évoqués.

Page 43

7 – « Monsieur Prudhomme » de Verlaine (p. 28) est le second sonnet* de cette partie de l'anthologie. Il est composé de quatre strophes d'alexandrins* : deux quatrains et deux tercets. Les rimes des quatrains sont embrassées, selon le schéma traditionnel : A B B A / A B B A. Celles des tercets obéissent au schéma C C D / E E D.

8 – Les poèmes de Victor Hugo (« Nox » et « Chanson », p. 16 et 18) et l'œuvre de Daumier ont en commun une même dimension satirique. Le poète et le sculpteur recourent à l'art de la caricature, exagérant jusqu'au grotesque les traits de l'individu représenté.

Arrêt sur lecture 2

Page 65

1 – Le poème de Blaise Cendrars « La Guerre au Luxembourg » mêle trois thèmes forts :

– Il évoque le Paris du début du siècle, ainsi qu'en témoignent les allusions au jardin du Luxembourg, à la place de l'Étoile, à la tour Eiffel ou à l'Arc de triomphe.

– Il fait référence à la guerre, à travers l'évocation des batailles de la Somme et de Verdun, des armes (« un fusil », les « gaz asphyxiants »), des blessés et des morts.

– Le poète décrit enfin les « petits enfants » du parc, occupés à leurs activités habituelles : spectacle de « Guignol », goûter de « gaufres », jeux de guerre dans lesquels chacun tient un rôle, de mort, de blessé, de brancardier ou d'infirmière. Associer le thème de l'enfance à celui du combat permet à Cendrars d'atténuer l'horreur de la guerre.

De nombreux éléments rappellent que le poète a participé lui-même à la guerre ; un vers suggère son amputation : « Coupe le bras, coupe la tête. »

3 – Le texte de Max Jacob est un poème en prose.

Page 69

4 – Outre l'aspect technique du procédé de reproduction (l'encre, la gélatine), c'est le contexte énonciatif qui importe, les « 25 exemplaires » de l'œuvre ayant été réalisés « face à l'ennemi ».

5 – La principale difficulté consiste à trouver dans quel ordre doit se lire ce calligramme. Plusieurs essais et une observation attentive sont nécessaires.

– La colombe symbolise la paix : le jet d'eau « pleure » la mort de l'oiseau, promesse de paix.

– Les noms propres désignent les jeunes filles aimées (Annie Playden, Marie Laurencin pour qui fut écrit « Le Pont Mirabeau »), et les artistes avec lesquels Apollinaire entretint des relations d'amitié (le peintre cubiste George Braque et le poète Max Jacob).

7 – La guerre est représentée par les canons et les soldats (« soldats machines »), la décomposition des éléments du tableau évoquant la violence des déflagrations provoquées par les obus. Le peintre y a ajouté de nombreux éléments textuels, qui renforcent l'idée de l'horreur de la guerre. Ce tableau fait penser à un calligramme.

Arrêt sur lecture 3 (p. 98-99)

1 – Dans le poème intitulé « Dis-tance » (p. 79), Marina Tsvetaïeva recourt à divers procédés d'insistance.

– Elle emploie de nombreux participes passés (« dis-persés », « dé-liés ») formés à l'aide de préfixes suggérant à la fois la séparation et la privation (dé- / dis-).

– Sur le plan formel, un vers placé au centre du poème est coupé en deux et décalé, mettant en évidence les termes « désordonnés » et « écartés ». La décomposition syllabique des termes « dis-tance », « dis-persés », « dé-liés », « trans-plantés » renforce l'idée de séparation.

– Les points de suspension placés en début de strophes, les points d'exclamation et d'interrogation des trois derniers vers expriment l'état d'esprit dans lequel se trouve Marina Tsvetaïeva en exil.

2 – Ossip Mandelstam (p. 77) évoque les caractéristiques physiques de Staline (« ses doigts épais et gras comme des vers »), présenté comme un tyran autoritaire et brutal (« lui seul pointe l'index, lui seul tape du poing »). L'écriture, volontairement caricaturale, grossit à dessein les traits du personnage. Le régime des fonctionnaires soviétiques que présente Maïakovski (p. 73) est placé sous l'égide des lois, des ordres et de l'absence de liberté d'expression. Anna Akhmatova évoque (p. 72) le sort fait aux prisonniers politiques, victimes des « bottes sanglantes » des soldats du régime.

Les Russes sont divisés en deux catégories : d'un côté ceux qui se soumettent, « nabots » et « larbins » transformés en « meute hargneuse » (p. 78) ; de l'autre côté, le peuple qui souffre et ne se résigne pas, à l'image d'Anna Akhmatova et de milliers de femmes qui hurleront « sous les tours du Kremlin » (p. 73).

3 – Les textes intitulés « Madrid » (p. 81), « Madrid 1936 » (p. 87), « Sierra » (p. 88) et « Par la bouche de l'engoulevent » (p. 80) s'adressent à un destinataire nommément désigné. Les poèmes du Russe et du Chilien invoquent la capitale espagnole, qui symbolisa la résistance au franquisme. Jean Wahl interpelle l'Espagne, « terre de souffrance ». Dans chacun de ces textes, l'énonciateur s'adresse affectueusement à son destinataire, auquel il dit « tu ». Par la personnification de la patrie et de la ville (« Tu te défendis. Tu courais / Dans les rues », p. 87) ce sont les Espagnols en lutte qui sont glorifiés.

Le texte de René Char s'adresse clairement « aux enfants d'Espagne », victimes innocentes de la barbarie.

Ces interpellations témoignent de la sympathie et de la compassion des poètes à l'égard du peuple espagnol.

4 – Valentine Hugo montre des visages d'enfants martyrs, victimes innocentes d'une guerre fratricide. On pourra également comparer le tableau *Guernica* de Picasso, non reproduit ici, avec le poème d'Eluard cité page 82.

Arrêt sur lecture 4

Page 140

1 – Les poètes de la Résistance ont publié les poèmes rassemblés dans cette anthologie sous les pseudonymes suivants :
- Louis Aragon : Jacques Destaing et François-la-Colère.
- Jean Cassou : Jean Noir.
- Robert Desnos : Pierre Andier et Lucien Gallois.
- Paul Eluard : Jean du Haut et Maurice Hervent.
- Pierre Emmanuel : Jean Amyot.
- Guillevic : Serpières.

2 – Le titre du recueil *La Diane française* repose sur le sens du mot *Diane,* clairon militaire utilisé pour réveiller les soldats. (L'expression « sonner la diane » signifie alerter les autres.) Le recueil de Robert Desnos intitulé *État de veille* joue sur la polysémie du terme « veille », synonyme de « vigilance ».

Page 147

3 – Parmi les poèmes qui en appellent à la révolte, on retiendra en particulier le «Sonnet» de Jean Cassou (p. 109), et «Ce cœur qui haïssait la guerre» (p. 120), texte dans lequel Robert Desnos laisse éclater sa colère : «Révolte contre Hitler et mort à ses partisans!»

De nombreux textes sont également porteurs d'un message d'espoir. Parmi eux, la «Ballade de celui qui chanta dans les supplices» (p. 104), «Avis» (p. 122) et «Gabriel Péri» (p. 126) de Paul Eluard.

4 – Le poème d'André Verdet a été écrit dans le camp de Buchenwald; il témoigne de la solidarité qui unit les déportés.

5 – Les poèmes de René Guy Cadou (p. 108) et de Guillevic (p. 129) évoquent d'une manière directe et violente les camps de la mort. L'un et l'autre recourent à des termes concrets, ainsi qu'en témoignent l'image des femmes que l'on brûle à Ravensbrück et l'insoutenable évocation des charniers.

6 – Dans les *Feuillets d'Hypnos*, René Char recourt à des images très fortes pour désigner les ennemis. En témoignent les métaphores qui évoquent la France résignée («épave dérangée dans sa sieste», p. 112), les collaborateurs (fragment 28, p. 112). Le récit contenu dans le *Feuillet* 128 (p. 114) révèle la violence des SS et des miliciens, à laquelle s'oppose le magnifique geste de solidarité des habitants de Céreste.

Arrêt sur lecture 5

Page 196

1 – Le poème d'Alain Bosquet intitulé «Raconte-moi le passé...» (p. 152) évoque d'abord, sous une forme dialoguée, les grandes convulsions du XXe siècle : espoir et «luttes sanglantes» à l'Est, drames orchestrés par le nazisme dans les pays occidentaux, destruction nucléaire d'Hiroshima à la fin de la Seconde Guerre mondiale. Refusant de céder au pessimisme, le poète exprime aussi son souhait d'entendre l'enfant qui l'interpelle lui conter un avenir meilleur.

2 – Le poème de Guillevic intitulé « Morbihan » (p. 154) s'apparente à bien des égards à une chanson. Divers procédés concourent à renforcer la musicalité du texte : régularité rythmique des six tercets d'octosyllabes* ; jeu des reprises et des anaphores* (« Ce qui fut fait… », « Pas de terre assez… / Pas de temps assez… ») ; rimes, assonances* et allitérations* (« s'ét<u>onner</u> / pard<u>onner</u> », « pour s<u>oi</u> / pour t<u>oi</u> » ; « et c'est la te<u>rre</u> ou c'est la m<u>er</u> »). La syntaxe contribue à la fluidité de l'ensemble, « Morbihan » n'étant composé que d'une seule longue phrase.

Chant de protestation contre le sort fait à la population de paysans et de pêcheurs du littoral breton, ce poème de Guillevic fut mis en musique et interprété par le chanteur Marc Ogeret.

Page 200

4 – Le texte du groupe de rap TSN intitulé « Le Peuple noir » (p. 171) fut écrit pour être mis en musique et interprété. En témoignent la présence d'un refrain, le libre jeu des rimes et des assonances (« plan<u>ète</u> / malhonn<u>ête</u> » ; « t<u>out</u> / f<u>ous</u> » ; « en<u>fer</u> / souf<u>fert</u> »), l'absence de ponctuation forte, les reprises anaphoriques (« le sida <u>c'est</u> les Noirs, la drogue <u>c'est</u> les Noirs / le crime <u>c'est</u> les Noirs ») et les multiples marques d'oralité que comporte le texte : « le Nègre était bien <u>l'premier</u>… », « qui sont les vrais sauvages, <u>hein</u> ? », « <u>bref</u> tout ce qui est mauvais ».

5 – En dépit de sa modernité, le texte de TSN peut être rapproché des poèmes négro-africains qui le précèdent.

– Similitudes thématiques : allusion à l'esclavage, au racisme et à la ségrégation raciale (texte d'Aimé Césaire, p. 163) ; hommage rendu aux tirailleurs noirs morts pour la France lors des deux guerres mondiales (texte de Léopold Sédar Senghor, p. 168) ; allusions aux hommes sans abri, au chômage et à la misère sociale (texte de Véronique Tadjo, p. 170), etc.

– Similitudes formelles : marques d'oralité (texte d'Aimé Césaire, p. 163) et recours à une versification pouvant rappeler les rythmes des versets* africains.

Page 205

7 – Une observation du paratexte* permet de savoir avec précision où et quand fut écrit le poème de Tristan Cabral dédié à la mémoire de Jean Sénac et de Tahar Djaout. La date indiquée (« le 17 juin 1993 ») situe le moment de l'énonciation* dans les semaines qui suivirent l'assassinat du journaliste algérois ; les indications spatiales désignent le lieu de rédaction (« Marseille ») et suggèrent qu'en ces circonstances douloureuses le cœur du poète est tourné vers Alger (« en face d'Alger »).

8 – Dans le poème « Dépecez l'espérance » (p. 180), Andrée Chedid recourt à maintes reprises au type interrogatif (« Mais qui mena le jeu ?/ Et qui vous a armés ? ») et au type injonctif (« Cessez d'alimenter la mort »). L'apostrophe sur laquelle s'ouvre le texte permet d'identifier le destinataire du message poétique : Andrée Chedid s'adresse à « [ses] frères » libanais engagés dans la violence et la guerre.

9 – Dans le poème intitulé « Du nouveau sous les ponts » (p. 184), Ludovic Janvier évoque le drame qui se déroula à Paris, le 17 octobre 1961, en pleine guerre d'Algérie. Ce jour-là, la répression policière, orchestrée par le Préfet de Police Maurice Papon, causa la mort de plus de deux cents manifestants algériens venus dénoncer le « couvre-feu qui les trait[ait] en coupables ». Matraquages, mitraillages, noyades dans la Seine et exécutions sommaires ont longtemps été passés sous silence.

Glossaire

Académisme : règles strictes, fondées sur un modèle que l'on doit imiter.

Alexandrin : vers de douze syllabes.

Allitération : répétition de consonnes dans des mots rapprochés.

Anaphore : répétition de mots ou groupes de mots en début de vers.

Antiphrase : figure de style qui consiste à dire le contraire de ce que l'on pense, par ironie.

Antithèse : procédé qui consiste à opposer deux mots ou deux expressions contraires.

Aphorisme : sorte de sentence ou de maxime énoncée en peu de mots.

Assonance : répétition de voyelles dans des mots rapprochés.

Ballade : poème de forme fixe, hérité du Moyen Âge, composé de strophes et d'un court refrain appelé « envoi ».

Cubisme : mouvement pictural du début du xxᵉ siècle, qui a utilisé géométriquement l'espace et le volume.

Décasyllabe : vers de dix syllabes.

Distique : strophe composée de deux vers.

Énonciation : acte de production d'un énoncé (voir p. 206-207).

Invective : propos agressifs tenus contre une personne.

Lyrisme : expression poétique d'émotions et sentiments personnels.

Métaphore : figure de style qui met en relation deux éléments, sans outil de comparaison.

Octosyllabe : vers de huit syllabes qui constitue, avec l'alexandrin et le décasyllabe, la forme la plus classique de la versification.

Ode : poème lyrique ou poème mis en musique.

Pamphlet : écrit satirique dans lequel un auteur attaque violemment une personne ou des idées.

Paratexte : éléments qui n'appartiennent pas au texte mais qui l'entourent : titre, dédicace, notes de bas de pages, références éditoriales, indices d'énonciation, etc.

Parodie : imitation comique d'une œuvre sérieuse.

Paronomase : rapprochement dans la même phrase de mots dont le son est à peu près semblable.

Pathétique : tonalité visant à émouvoir le lecteur en suscitant en lui un sentiment de tristesse ou de pitié.

Quatrain : strophe composée de quatre vers.

Redondance : répétition volontaire d'une même notion.

Rhétorique : ensemble des moyens d'expression et de persuasion propres à un auteur.

Satire : texte dans lequel un auteur attaque quelque chose ou quelqu'un en s'en moquant.

Sonnet : poème à forme fixe, généralement en alexandrins, composé de quatre strophes (deux quatrains, deux tercets).

Surréalisme : mouvement artistique qui s'est épanoui après la Première Guerre mondiale, privilégiant l'imaginaire et la spontanéité.

Verset : long vers rédigé à la manière des *Psaumes* de la Bible.

Bibliographie

Bandes dessinées

Pascal Croci, *Auschwitz,* Le Masque, coll. « Atmosphères », 2000.
Daeninckx / Hanouka, *Carton jeune !,* Le Masque, coll. « Atmosphères », 1999.
Daeninckx / Tardi, *Le Der des ders,* Casterman, 1997.
Jean-Pierre Gibrat, *Le Sursis*, Dupuis / Aire Libre, 1997.
Lax / Giroud, *Azrayen,* Dupuis / Aire libre, 1998.
Art Spiegelman, *Maus*, Flammarion, 1992.
Tardi, *C'était la guerre des tranchées*, Casterman, 1993.

Récits

Paroles de Poilus, Lettres et carnets du front 1914-1918, Librio, 1998.
Henri Barbusse, *Le Feu, Journal d'une escouade* (1916), Flammarion, 1917.
Nina Berberova, *C'est moi qui souligne*, Actes Sud, « Babel », 1989.
Louis Bonnet, *Une auberge espagnole*, Gallimard, « Page Blanche », 1994.
Andrée Chedid, *La Maison sans racines,* Flammarion, 1985.
Didier Daeninckx, *Meurtres pour mémoire,* Gallimard, 1984.
Didier Daeninckx, *Le Der des ders,* Gallimard, 1985.
Didier Daeninckx, *Cannibale,* Verdier, 1998.
Michel del Castillo, *Tanguy*, Gallimard, « Folio », 1956.
Saïd Ferdi, *Un enfant dans la guerre*, Seuil, « Point Virgule », 1983.

Anne Frank, *Journal*, Livre de Poche, 1950.
Maurice Genevoix, *Ceux de 14, 1916 à 1923*, Seuil, coll. « Points ».
Ernest Hemingway, *L'Adieu aux armes*, Gallimard, 1948.
Primo Levi, *Si c'est un homme*, Julliard, Pocket, 1987.
Erich Maria Remarque, *À l'Ouest rien de nouveau* (1928), Poche, L.G.F., 1997.
Jean Rouaud, *Les Champs d'honneur*, Éditions de Minuit, 1990.
Jorge Semprun, *L'Écriture ou la Vie*, Gallimard, 1994.
Léon Walter Tillage, *Léon*, L'École des loisirs, « Neuf », 1999.
Fred Uhlman, *L'Ami retrouvé*, Gallimard, « Folio », 1978.
Vercors, *Le Silence de la mer*, L.G.F., 1994.

Essais

Lucie Aubrac, *La Résistance expliquée à mes petits-enfants*, Le Seuil, 2000.
Tahar Ben Jelloun, *Le Racisme expliqué à ma fille*, Le Seuil, 1999.
Annette Wieviorka, *Auschwitz expliqué à ma fille*, Le Seuil, 1999.

Anthologies

La Liberté en poésie, « Folio Junior » n° 862, Gallimard, 1998.
Amnesty International, *Cent Poèmes pour la liberté*, Le Cherche-Midi Éditeur, « Espaces », 1984.
Anne Bervas-Leroux, *Au nom de la liberté, poèmes de la Résistance*, Garnier-Flammarion, « Étonnants classiques », 2000.
Jacques Charpentreau, *La Révolte des poètes*, Hachette-Livre de poche, « Fleurs d'encre », 1998.
Ligue des droits de l'Homme, *Cent Poèmes contre le racisme*, Le Cherche-Midi Éditeur, 1985.
Jean-Claude Perrier, *Le Rap français*, La Table Ronde, 2000.
Pierre Seghers, *La Résistance et ses poètes*, Éditions P. Seghers, 1974.
Bernard Vargaftig, *Poésies de Résistance*, J'ai lu, 1994.

Chansons

Graeme Allwright, *Le Jour de clarté.*
Hugues Aufray, *Fleur d'oranger.*
Barbara, *Perlimpinpin.*
Jacques Bertin, *À Besançon.*
Georges Brassens, *La Guerre de 14-18 ; La Mauvaise Réputation.*
Jacques Brel, *Les Bourgeois ; Pourquoi ont-ils tué Jaurès ?*
Francis Cabrel, *Cent Ans de trop.*
Louis Chedid, *Anne, ma sœur Anne ; Bourreaux, victimes et specta-teurs.*
Manu Chao (pour le chanteur kabyle Idir), *Une Algérienne debout.*
Léo Ferré, *L'Affiche rouge ; Poètes, vos papiers !*
Jean Ferrat, *Nuit et Brouillard.*
Bernard Lavilliers, *Utopia ; Petit.*
Maxime Le Forestier, *Né quelque part.*
Claude Nougaro, *Armstrong.*
Renaud, *Morts les enfants.*
M. C. Solaar, *Paradisiaque.*

Vous pouvez retrouver les paroles des chansons sur le site internet :
http://www.paroles.net

TABLE DES MATIÈRES

AUTOUR DE LA GRANDE GUERRE

CONFLITS DE L'ENTRE-DEUX-GUERRES

Contre la Russie de Staline

LA RÉSISTANCE ET SES POÈTES

COMBATS CONTEMPORAINS

Le refus de la guerre

Le refus du colonialisme

Dans le monde d'aujourd'hui

Dans la même collection

Cet ouvrage a été composé
et mis en pages par Dominique Guillaumin, Paris,
et achevé d'imprimer par Novoprint
en juin 2008.
Imprimé en Espagne.

Dépôt légal : juin 2008
1er dépôt légal : juin 2001
ISBN 978-2-07-041665-3

Pour plus d'informations :
http://www.gallimard.fr
ou
La bibliothèque Gallimard
5, rue Sébastien-Bottin – 75328 Paris cedex 07

161580